GRIFFINTOWN

DU MÊME AUTEUR

La Mort de Mignonne et autres histoires, Triptyque, 2005
Soudain le Minotaure, Triptyque, 2002

Littérature jeunesse

Rock & Rose, La courte échelle, collection « epizzod », 2009

Marie Hélène Poitras

Griffintown

Alto

LONDON PUBLIC LIBRARY

Catalogage avant publication de Bibliothèque et Archives
nationales du Québec et Bibliothèque et Archives Canada

Poitras, Marie Hélène, 1975-

    Griffintown

    Texte en français seulement.

    ISBN 978-2-89694-002-8

    I. Titre.

PS8581.O245G74 2012   C843'.6   C2012-940218-4
PS9581.O245G74 2012

Les Éditions Alto remercient de leur soutien financier
le Conseil des Arts du Canada
et la Société de développement des entreprises culturelles du Québec (SODEC).

Les Éditions Alto reconnaissent l'aide financière
du gouvernement du Canada
par l'entremise du Fonds du livre du Canada
pour leurs activités d'édition.

Gouvernement du Québec – Programme de crédit d'impôt
pour l'édition de livres – Gestion SODEC.

L'auteure tient à remercier le Conseil des arts et des lettres du Québec
pour son appui financier.

Illustration de la couverture : Jason Cantoro
www.jasoncantoro.com

ISBN : 978-2-89694-002-8
© Éditions Alto, 2012

À Charlotte et Olivier

Merci à Philippe Tessier de m'avoir montré comment.

Ce qu'il aimait chez les chevaux, c'était ce qu'il aimait chez les humains, le sang et la chaleur du sang qui les animaient. Toute sa déférence et toute sa tendresse et toutes les aspirations de sa vie allaient aux âmes ardentes et il en serait toujours ainsi et jamais autrement.

— CORMAC MCCARTHY, *De si jolis chevaux*

LA BOTTE

Le jour se lève sur Griffintown après le temps de survivance, les mois de neige et de dormance.

Un soleil précaire pointe à l'est. Sur l'horizon se profile un paysage désolé, traversé de collines de rouille où subsiste, par strates et dans un silence condamné, toute une généalogie d'objets obsolètes : enjoliveurs dépareillés, chaînes de vélo rompues, plaques de tôle gondolées. Au loin se dresse la montagne royale, coiffée d'une croix, insensible aux doléances des arbres étirant vers elle leurs bras décharnés comme des indigents dans l'attente de la manne.

Derrière l'écurie, le ruisseau a dégelé et ses eaux noires courent vers le canal, vives et furieuses. Il a beaucoup neigé en avril. Une âme bienveillante a dilué un peu de vodka dans les abreuvoirs pour que les rares chevaux qui restent puissent boire pendant la saison froide. L'oscillation constante entre gel et dégel a sévèrement entaillé les rues, les transformant en véritables pièges à calèches. Il faut avoir connu les jours et les nuits de Griffintown pour entrevoir dans ce décor ingrat la possibilité d'un été fécond.

Trois chevaux ont hiverné à l'écurie, mastiquant de leurs dents usées, faute de mieux, les restes de foin vert de l'année précédente. Ils recommencent à racler de leurs sabots la terre roussie, à défier la misère moite du printemps. Les bêtes faméliques lèchent de gros blocs de sel rouge, leur respiration caverneuse chauffe l'écurie.

Dans la roulotte garée tout près, l'homme qui veille sur eux a passé les dernières semaines à jouer au *crib* contre lui-même en attendant que la nuit passe et que sa petite chaufferette sèche enfin le bout de ses bottes humides. L'homme guette le retour des siens par la lucarne de sa roulotte. Il procédera bientôt au décompte de ceux — hommes et bêtes — dont l'hiver aura eu raison. De nouveaux arrivants occuperont les box laissés vacants à la fin de l'été. D'autres reviendront, anciens coureurs marqués sur la gencive, percherons, belges, chevaux de labour et hongres canadiens dans leur splendeur bronze, baie, rouanne, ramenés d'encans au Vermont et des environs. La rumeur mate, friable des sabots déferrés résonnera à nouveau dans les écuries.

Les cochers entendront cette parade piaffante et retourneront eux aussi au bercail, aigris, mal chaussés, sans le sou, le teint blafard et le pas traînant, accordé à celui des bêtes.

14

On revient toujours à Griffintown, là où la rédemption est encore possible. On y meurt parfois aussi. Les bottes aux pieds, de préférence.

~

Billy s'extirpe d'un rêve dans lequel, chose rare, il montait un cheval. Il sentait le corps de l'animal en mouvement sous lui, ses flancs tièdes se raidissant sous son mollet, la puissance de cette machine musculeuse. Serrant le pommeau d'une main, il menait sa monture à l'ouest, au-delà des limites de Griffintown, lorsque le bruit régulier, rassurant des sabots du cheval qui trottinait dans le jour déclinant s'est confondu avec le ronronnement du moteur d'un camion : celui de Paul Despatie, suivi du véhicule de transport, occupé par de nouveaux chevaux.

Une botte de cow-boy noire ornée de breloques apparaît dans l'entrebâillement de la portière, puis une autre, tout aussi ostentatoire. Paul, celui qui a trouvé de l'or à Griffintown, propriétaire de l'écurie et seigneur du domaine, salue son homme à tout faire et lui offre une cigarette de contrebande. « L'Indien va revenir cet été », annonce-t-il. Billy hoche la tête puis ils fument en silence le tabac éventé, roulé serré dans du papier jauni.

Paul ouvre les portes du véhicule de transport pour en faire sortir les chevaux. Un premier apparaît, une demi-tonne de nerfs et d'irritabilité, un clydesdale efflanqué qu'il faudra engraisser avant le début de la saison, mais qui a l'œil vif et une bonne tête. Billy le mène jusqu'à un entre-deux où trône encore la fiche indiquant le nom de son ancien occupant, parti faire de la colle[1] à la fin de l'été. Jack. Billy déteste baptiser les animaux. Par commodité, il décide de nommer le nouveau cheval Jack aussi, un nom facile à retenir, jusqu'à ce qu'il se souvienne qu'il s'agit d'une jument, c'est ce que Paul a dit. Billy se penche sous l'animal pour confirmer. À l'aide du stylo glissé dans la poche de sa chemise dont il humecte la bille, il ajoute deux lettres au bout du nom : I et E. Jack devient Jackie.

Billy fait déambuler la seconde jument sur le site de l'écurie pour mieux la détailler : belle robe grisbleu, puissante croupe pommelée, pattes un peu sensibles, la grâce lourde des percherons, mais l'air aussi doux qu'un belge. Elle cherche en vain quelque chose de frais ou de florissant, une touffe d'herbes folles dans toute cette boue, dans toute cette rouille. Billy envisage d'en faire une Princesse, puis se ravise. Il se rappelle les Maggie qui ont traversé sa vie de palefrenier : de braves et fières fifilles, des machines. Il écrase son mégot sous sa botte et le fait glisser dans sa poche par précaution — Billy craint plus que tout au monde qu'un feu naisse dans la paille. Il inscrit «Maggie» au dos d'un paquet de papier à rouler, fiche de fortune qu'il agrafera ensuite dans l'entre-deux. Un nom, cinq pelletées de bran de scie et une galette de foin, c'est ainsi qu'on accueille les nouveaux pensionnaires à l'écurie. Le forgeron les

---

1. Envoyer un cheval faire de la colle : l'envoyer à l'abattoir.

chaussera d'ici quelques jours et le vétérinaire procédera à l'évaluation de leur état de santé. L'entraînement pourra ensuite débuter.

Mieux vaut éviter de s'attacher aux chevaux à leur arrivée. Billy n'aurait pas donné cher du standardbred réchappé de l'hippodrome, atteint d'un souffle au cœur, mais il a suffi d'atteler le petit cheval sombre à une calèche légère et de surveiller ses jarrets pour se rendre compte que Garlen Lou — c'est son nom — affiche un orgueil inversement proportionnel à sa taille et, jusqu'à preuve du contraire, il sera de retour cet été pour une huitième saison.

Comme les cochers, les chevaux qui échouent à Griffintown traînent plusieurs vies derrière eux. On les prend tels qu'ils sont. C'est pour eux aussi, bien souvent, le cabaret de la dernière chance.

~

Dans son bureau attenant à l'écurie, Paul fourrage dans la paperasse en fulminant. Ceux de la ville ont encore laissé plusieurs messages réitérant les offres de rachat de permis de calèche. L'âge d'or est révolu, tout le monde le sait. Même si le business n'est plus aussi prospère qu'il l'a jadis été, Paul n'a pas l'intention de céder aux pressions. Les nouveaux propriétaires de lofts et de condos haut de gamme n'apprécient pas la compagnie des cochers, les odeurs qu'ils oublient derrière eux, les flaques d'urine chevaline imprimées dans l'asphalte, les restes d'avoine qui craquent sous les talons de leurs souliers cirés. Mais les hommes de chevaux peuvent encore s'en mettre plein les poches avec les mariages. C'est ainsi que Paul renfloue les coffres pendant que les cochers accusent le mauvais temps, les fluctuations du dollar américain ou les travaux de réfection qui compliquent les tours guidés et effarouchent les chevaux. Mener un cheval dans le Vieux-Montréal est une entreprise hasardeuse.

Un jour — et ce jour approche —, cette tradition et tout le legs de connaissances cochères qui l'accompagne disparaîtront. L'écurie, le métier, l'utilité des chevaux de trait et les points d'eau dans la ville pour les abreuver, les vieux harnais, l'art de l'attelage : tout cela finira au musée. En attendant, la légende perdure sur les cartes postales fanées avec leurs passagers émerveillés, leur cocher enthousiaste vêtu d'un polo couleur pêche, les cheveux crêpés, un chandail noué aux épaules. «Nous nous fossilisons», pense Paul en envoyant valser son courrier sous les lames de la déchiqueteuse.

Dès la fonte des neiges, le seigneur du domaine reprend contact avec les hommes de chevaux pour s'enquérir des retours. Il peut compter sur une petite équipe de cochers qui, bon an, mal an, réussissent à se rendre à peu près vivants jusqu'à l'autre bout de la saison morte. Chaque hiver, un ou deux perdent le duel contre eux-mêmes. On ne demande pas où est passé Untel — homme ou cheval. On constate simplement qu'il n'y a plus moyen de joindre l'un sur son cellulaire ou qu'un nouvel occupant a pris place dans l'ancien entre-deux d'un autre. À Griffintown, on ne parle pas de la saison rude, impitoyable pour ceux dont on ne voit pas l'ombre se profiler au loin, ceux dont on n'entendra plus ni les bottes ni les sabots marteler le sol. Hors de la calèche, point de salut.

La fraternité bourrue qui unit les cochers dure ainsi toute la saison, pour disparaître aussitôt les premières feuilles tombées. Alors, la logique du «chacun pour soi», du «chacun contre soi» reprend ses droits. Nul ne sait ce qu'il adviendra des cochers au-delà des frontières du territoire, dans la nuit, sous la neige. Saison féroce et sans merci, l'hiver leur laboure le corps, les laissant paumés, boitant dans la *slush,* toussant gras et crachant vert en attendant que l'espoir revienne avec le printemps. On ne parle pas des absents dans la petite société des hommes de chevaux, on guette leur retour. Après, l'espoir s'évanouit. On fixe un moment le bout de ses bottes puis on relève la tête en plissant les yeux. Et on se laisse aveugler par le soleil.

~

Cette saison, la ronde d'appels de Paul s'amorce sur une bonne note. Le cow-boy sera de la partie ; une excellente nouvelle. John, par sa seule présence, tempère le caractère explosif de certains, donnant aux autres l'impression qu'à travers lui la justice peut régner à Griffintown. John n'est pourtant pas armé et n'agit qu'en son nom. Il s'est fait cocher plusieurs années auparavant, après un long passage à vide. Contrairement aux nouveaux conducteurs de calèche, il a su gagner le respect des anciens dès le début. C'est lui qui sépare les hommes dans une bagarre et qui met fin aux duels, lui qu'on appelle pour relever un cheval écroulé ou achever une bête agonisante. Vis-à-vis des cochers et des chevaux, il maintient une distance respectueuse que tous apprécient.

Le soleil cuivre son visage sans jamais le brûler. Il a un regard dur, mais quiconque parvient à l'approcher peut apercevoir la mélancolie clapoter doucement dans ses yeux, comme une eau bleue.

À la fin de chaque été, John espère, à genoux, qu'il vient de boucler sa dernière saison. Mais l'hiver passe, le laissant tout aussi désemparé que les autres cochers. Au printemps, lorsque à l'autre bout du fil la voix de Paul réitère la promesse d'argent vite fait, il se durcit, puis capitule. Pour la plupart des cochers, monter à bord d'une calèche offre un salut après des années passées à boire, à tout perdre, à quêter, à dormir sur le parvis d'une église, à faire de la prison, à danser nu ou à faire le trottoir : à tomber. Pour John, c'est une autre histoire. Il remet les pieds dans une calèche comme on renoue avec une mauvaise habitude.

— Ça va être mon dernier été, Paul, annonce John.

Paul raccroche, sort du bureau puis verrouille la porte, s'allume une cigarette et va rejoindre Billy à l'écurie.

~

Billy a commencé à répertorier les mors, gourmettes et fers réutilisables dans le grand coffre où s'entassent pêle-mêle retailles de cuir, vieilles sangles fissurées et fers tordus. Paul remarque qu'il les a alignés par grandeur. Dans l'état de délabrement des lieux, chercher à faire régner un semblant d'ordre lui paraît absurde. Billy a ses lubies et Paul est incapable de lui reprocher quoi que ce soit.

Lorsque Paul a hérité de l'écurie, le palefrenier faisait partie du marché, avec trois picouilles scrofuleuses qu'il avait dû faire abattre. Billy veillait sur les lieux et gardait le troupeau, mieux valait s'en faire un allié. À l'époque, il dormait dans l'écurie, au fond du box où étaient entreposées les poches de bran de scie. En échange d'un petit pécule à la semaine et des clés d'une roulotte garée entre une grue et une carriole disloquée, Paul avait acheté la loyauté de Billy et, par le fait même, une paix d'esprit toute relative.

En choisissant de vivre dans la proximité des chevaux, les hommes renoncent à la quiétude puisqu'il y a toujours quelque chose à réparer, à ajuster, du cuir à huiler, des souillures à pelleter, des animaux à soigner, des blessures à surveiller… Sunny s'est égratigné au chanfrein, Lady boite de l'antérieur droit, le garrot enflé de Champion prend des airs de bursite, Cheyenne et Rambo s'entendent mal, on devra éloigner leurs box dans l'écurie, sans parler des mouvements d'humeur de Belle Starr, qui s'est mise à ruer.

Paul a abdiqué, et laisse désormais son palefrenier se débrouiller seul. Il se consacre à d'autres embêtements moins concrets, sournois comme des maladies larvées.

— Il y a encore quelque chose à faire avec toute cette ferraille-là, mon Bill ?

Il y a des mois que le palefrenier n'a pas aligné trois mots, se contentant de sacrer ou de cracher, au mieux de grommeler un salut.

— Les mors cassés drette, on peut les faire ressouder. Mais pour ceux qui sont tordus, rien à faire.

Il a l'impression de sentir ses dents trembler. Parler est à la fois douloureux et libérateur, comme si on enlevait un mors de sa bouche.

— Je vais régler ça tout de suite, j'ai à faire en ville. As-tu besoin de quelque chose ? demande Paul. Un bolo, des *chaps* ?

Billy n'a rien, n'a jamais rien eu, aurait besoin de tant de choses, à commencer par des bas sans trous et peut-être une ou deux chemises.

— Ramène-moi une bouteille de fort.

— O.K. En passant, John revient. Evan aussi. Il va venir porter deux nouveaux chevaux demain.

Evan. Celui qui a croisé un Windigo et ne s'en est jamais remis. Son retour n'augure rien de bon.

Après avoir déposé la caisse de mors rompus à l'arrière du camion de Paul, Billy regarde les pneus du pick-up tournoyer dans l'infecte purée de vase et de crottin. Dès que la terre sera asséchée, il pourra commander un voyage de pierraille, avant que la saison démarre. Paul lui fait un petit signe de la main ; il soulève le menton en retour.

C'est la dernière fois qu'il voit son patron vivant.

~

Ils sont plusieurs à migrer vers l'ouest. Outre les cochers et les chevaux, Evan, le Rôdeur et Grande Folle dirigent leurs pas vers Griffintown. Chaque printemps, ceux qui gravitent autour d'eux — commissionnaires, nouveaux conducteurs, forgerons, *shylocks* — avancent aussi vers les écuries en une procession boiteuse. La rumeur veut qu'il y ait encore de l'or là-bas.

Evan franchit le premier les limites du territoire.

Billy fronce les sourcils en entendant, au loin, des pneus crisser et le dernier succès pop craché à plein volume. Le cœur du palefrenier se serre lorsqu'il aperçoit Evan conduisant un camion avec une remorque où on a fait monter des chevaux. Evan multiplie les manœuvres risquées au volant. Il tourne sec, si bien qu'à un certain moment le camion et la remorque sont à angle droit. Le cortège brinquebalant passe à deux doigts de verser sur le côté. Lorsque la demi-volte est bouclée, Billy distingue les chevaux à leur croupe : Poney, cheval bai aux reflets cuivrés, et Pearl, jument percheronne magnétique, une des plus belles de Griffintown, un mirage de velours noir, des yeux en étoiles, une foulée de courte amplitude, mais un pas souple, jazzé.

Billy ne salue pas Evan — qui le lui rend bien. Il remarque que l'assistant de Paul a le visage émacié, la mâchoire raide et des mouvements brusques. Il le laisse s'arranger seul.

Poney reconnaît tout de suite l'habituelle pestilence de l'endroit, immémorial amalgame de crasse moisie et d'urine aigre auquel s'additionne le remugle du canal derrière l'écurie — eau poisseuse où jamais un cheval ne s'est risqué à boire. Des relents de pisse du chat à trois pattes et le parfum de sueur et de suif du palefrenier montent par bouffées, heureusement tempérées par le bouquet sec et rassurant du bran de scie. Cette fragrance infecte s'accroche aux vêtements pour ne plus jamais en être délogée ; seul le feu pourrait avoir raison d'elle. Poney est ici chez lui. Un peu plus tard dans la journée, il retrouvera ses collègues Rambo et Lucky et, de la même façon que les vétérans d'une usine se font un signe de tête entre eux, il les saluera d'un hennissement.

Dans sa robe à corset, Grande Folle chemine elle aussi vers le Far Ouest, se préservant de la lumière du matin avec une ombrelle. Ses talons hauts lui usent les reins, mais l'élégance a son prix ; ainsi chaussée, elle s'impose sans peine dans la mêlée. Au fond de son sac à main, pêle-mêle, une trousse de maquillage, des gants de ménage, une éponge pour faire briller les calèches, des cailloux précieux et bien d'autres trésors inavouables. Elle les tâte d'une longue griffe rubis et poursuit son chemin.

~

Comme à chaque début de saison, quelques pieds-tendres viendront tenter leur chance à Griffintown. Les apprentis terminent pour le moment leur cours de conducteur de calèche à l'Institut d'hôtellerie, une vingtaine de têtes brûlées au total : deux délinquants en réinsertion, des préretraités à la recherche d'un hobby champêtre, une danseuse victime d'un tour de reins qui se déplace avec son oreiller, des jumeaux identiques dont le père était cocher, une barmaid, une surdouée qui projette d'aller étudier la médecine vétérinaire en Californie à la fin de l'été, deux dyslexiques qui réclament à grands cris une exemption de l'examen écrit, un handicapé en fauteuil roulant, plusieurs cavalières en manque de chevaux et, tout au fond de la classe, Marie, que l'on nommera un jour la Rose au cou cassé, et dont le destin sera tragiquement lié à celui de Griffintown.

Le cours est divisé en deux : d'abord la portion magistrale, dans laquelle on enseigne aux futurs cochers l'histoire de la ville, quelques dates clés, les notions d'architecture qu'ils s'empresseront d'oublier et enfin l'anatomie équine. Tous attendent impatiemment que débute le volet pratique de la formation, l'expérience glanée sur le terrain, celle qui s'acquiert sur le banc du cocher ou la main posée sur l'épaule d'un cheval, plongée dans le tonneau d'avoine, en cochonnant ses bottes dans l'écurie : celle qui compte. Le cours de cocher dure deux mois, incluant l'examen final en vue de l'obtention du permis de conduite de véhicule hippomobile.

Habituellement, après la visite de l'écurie, le groupe diminue de moitié. Les baby-boomers à l'orée de la retraite prennent leurs jambes à leur cou en constatant l'état de délabrement des lieux, les cœurs sensibles fuient avec le même empressement… Et les anciens cochers se chargent de clore le tri, entraînant les nouveaux avec une mauvaise foi à peine dissimulée. Une mathématique simple explique l'aigreur de l'accueil : on est payé au tour. Plus il y a de cochers, moins il y a de tours. La cohorte de nouveaux, généralement plus affables et propres de leur personne, attire plus de clients que les anciens, intéressés un jour sur deux à renseigner les touristes qui montent à bord. Comme il n'y a pas d'argent à faire en mai, contribuer à la formation des nouveaux assure une petite rentrée de fonds, de quoi rembourser à la Mouche les dettes accumulées avant le début officiel de la saison payante, qui se déroule toujours mieux — c'est bien connu — sans bras cassé ou épaule fracturée.

~

D'autres cochers approchent. L'Indien a gagné la frontière nord de Griffintown. À l'est, Roger et Joe marchent d'un bon pas pour être eux aussi parmi les premiers à choisir un cheval et une calèche. De toutes les directions, on progresse vers le territoire : Georges, Lloyd et Robert à l'ouest, Christian et Gerry au nord sur la piste de l'Indien. Plusieurs autres suivront, crachant, toussant, sacrant, espérant. Et cette procession défilera ainsi, bruyante, les mains tendues devant, sous l'œil de la Mouche, vieille canaille au sourire tordu qui, du haut d'un toit d'entrepôt, jette un regard désapprobateur sur les allées et venues de ceux qui s'accrocheront pieds et sabots à Griffintown. Le *shylock* surveille l'arrivée d'une personne en particulier. On raconte que celle qui a assis Paul Despatie sur le trône de Griffintown a disparu, qu'elle a rejoint Mignonne dans la mort. Mais la Mouche n'en croit rien.

Il sent sa présence.

~.

Le Far Ouest comprend aussi la vieille ville, un secteur à vocation touristique de plus en plus résidentiel. C'est pour les cochers l'avant-scène, un lieu de spectacle et de parade où l'on a intérêt à redresser l'échine et à bien jouer son personnage. À la fin de la journée, on rentre en coulisse, dans l'arrière-scène vétuste, zone laissée à ses propres lois et mythes fondateurs, où l'on peut rouler en paix, fouet à la main, une bière entre les cuisses. Rentrer aux écuries sous le soleil rose de juillet à la fin d'une journée fructueuse en passant par la rue William rend la vie de cocher acceptable. À mesure que l'on se rapproche du cœur de Griffintown, la rumeur de la ville s'estompe, et lorsque enfin on gagne le château de tôle rafistolée, les gratte-ciel ne forment plus qu'une enfilade d'ombres étoilées au loin.

Une voie ferrée passe au sud-est et non loin de là court le canal et ses déclinaisons, dont le ruisseau d'eaux fuligineuses qui file derrière l'écurie jusque sous le pont reliant le Far Ouest et Pointe-Saint-Charles.

À la fin de la journée, les cochers détellent leurs chevaux et les rafraîchissent à la douche, les séchant à l'aide d'une écumoire, puis les confinant au repos dans leurs entre-deux où les attendent une galette de foin et la sainte paix. Contrairement aux bêtes de selle qui dorment debout les yeux mi-clos, reposant une de leurs pattes à la fois, les chevaux de calèches se couchent par terre, s'écroulent, fourbus, et ferment complètement leurs paupières lourdes pour se rêver dételés, broutant de l'herbe ou s'ébrouant dans la neige.

~

Il y a au Far Ouest autant de commissionnaires que de stands à calèches : des cochers fantômes, d'anciens *drivers* qui n'ont pas gagné la bataille contre leurs démons. Lorsqu'un cocher doit s'absenter quelques minutes, le commissionnaire surveille son cheval et peut même, s'il est bien luné — c'est-à-dire rarement ou jamais —, faire monter des clients à bord en attendant le retour du cocher. Le midi, les commissionnaires vont chercher les sandwichs des cochers en échange de quelques pièces, et plus le pourboire est bon, moins ils ont tendance à s'égarer en chemin ou à se tromper dans les commandes. De temps en temps, à une ou deux reprises durant la saison, Paul leur confie la mission de compter les tours des cochers pour vérifier si le montant que ceux-ci déclarent à la fin de la journée correspond au nombre réel de balades. Le commissionnaire est une figure humble et polissonne, joker dans un jeu de cartes qui prend sa petite besogne très au sérieux, se raccrochant à elle comme à une bouée. Mais parfois, la part d'ombre refait surface. Alors le commissionnaire disparaît pendant quelques jours, quelques semaines, et revient encore plus fané qu'avant, l'œil morose, d'humeur chagrine, muet et immobile, une canette de bière à la main, peu disposé à rendre service, mais présent quand même. Dans ces moments-là, un cocher lui offre le sandwich.

Le plus ancien de tous les commissionnaires est un vagabond notoire. Avec ses longs cheveux gris, ses dents en or et son éternelle veste de la voirie subtilisée à un col bleu, le Rôdeur traîne à Griffintown depuis plus longtemps que la plupart des cochers. Il a quitté le Far Ouest avant la fin de la dernière saison, à quatre pattes comme un cheval. Billy l'a vu boiter vers l'est le long de la voie ferrée, pris d'une toux grave, se raclant la gorge comme un damné. Il aurait fallu un habile ramoneur pour déloger la suie qui tapissait son larynx. On ne donnait pas cher de sa peau. L'hiver aura peut-être eu raison de lui, et la nuit, recouvert de son suaire son corps brisé. Le Rôdeur aurait-il déjà rejoint Mignonne?

C'est cette triste perspective qu'envisage Billy, assis sur le toit de sa roulotte, lorsqu'il remarque, dans le ruisseau où l'on noie les chatons, un objet à la fois familier et inusité. Une botte.

Descendu de son perchoir, s'approchant du ruisseau, il reconnaît la botte qui dérive à la surface des eaux troubles, avec à son talon une longue traînée d'herbes, et la récupère à l'aide d'une branche. C'est bien celle de son patron.

Les yeux plissés, Billy jette un regard méfiant autour de lui. Dans la pénombre bleutée enveloppant l'écurie, la silhouette grotesque et terrifiante de Grande Folle se détache sur le mur. L'épaule appuyée à une poutre du garage, tenant une cigarette d'une main, brandissant le tuyau d'arrosage au-dessus d'une chaudière de l'autre, elle a gardé son chapeau à plumes et prend la pose dans le demi-jour, sept pieds déroulés sur la hauteur si l'on inclut sa toque de *showgirl*. Aux yeux de Billy, elle semble tout droit sortie d'un théâtre glauque et dégénéré.

~

Georges a un œil sur le clydesdale et le buggy vert forêt. Il avise Billy de ses intentions et demande où est passé Paul, mais nul ne le sait. Peut-être a-t-il franchi la frontière du pays voisin en quête de nouveaux chevaux? Impossible de le dire pour le moment; Paul Despatie ne daigne pas répondre à ses messages.

Le cocher commence à décorer la calèche en fixant sur l'ourlet du toit roses, vignes en plastique et oursons en peluche. Il dépose une couverture dans le coffre arrière et disperse quelques babioles sous le banc du conducteur pour signifier aux autres que quelqu'un s'est déjà approprié cette calèche. Puis il entre dans l'entre-deux du grand cheval bai qu'il convoite et urine dans la paille pour marquer son territoire.

Lloyd est lui aussi, cette année-là, parmi les premiers à traîner sa carcasse jusqu'à Griffintown. Même s'il est un peu tôt pour amorcer la saison, le cocher semble pressé d'atteler, probablement en raison des dettes contractées à la fin d'un été désastreux, noyé dans l'alcool. En août dernier, il avait pris l'habitude de se présenter le matin à l'écurie les yeux déjà vitreux et la diction embrouillée, titubant et s'exprimant dans un franglais impossible à décoder. Un après-midi, au stand à calèches, Lloyd est tombé endormi le visage dans la couche de son cheval, et l'animal avait fini par diriger de lui-même ses pas vers l'écurie. Paul avait donné son congé au cocher avant la fin de l'été et Lloyd, à sec, s'était résigné à transiger avec le *shylock*. Rembourser sa dette à la Mouche commençait à urger.

Au fil des ans, Lloyd s'est attaché à une grande jument bistre de tempérament nerveux qu'il appelle la Charogne, une ancienne coureuse tatouée sur l'encolure, juste sous la crinière, qu'elle a fine et luisante.

Ce tatouage fait rêver le cocher, qui aurait préféré devenir jockey.

L'appaloosa moucheté est réservé à l'Indien et il en a toujours été ainsi puisqu'il s'agit d'une combinaison gagnante qui fait fureur auprès des touristes européens. Un palomino crème attend sagement le retour de Robert, le cheval impossible couleur cuisse-de-nymphe bâti comme un petit buffle guette du coin de l'œil l'arrivée de Gerry, et ainsi de suite, sauf pour les vieux chevaux, Champion, Majesté, Lucky, qu'on réserve aux pieds-tendres puisqu'ils sont calmes, pratiquement sourds, épouvantablement lents, donc moins enclins à causer des accidents et aussi rassurants pour les nouveaux conducteurs qu'exaspérants aux yeux des anciens.

~

Les pieds-tendres entreront bientôt à Griffintown, mais Paul tarde. Quelque chose cloche, comme un fer qui claque croche. Billy a passé beaucoup de temps à gamberger sur le toit de sa roulotte, guettant le ruisseau dans l'attente du patron, ou à tout le moins de sa botte gauche. Il se rappelle des conversations qu'il a eues avec Paul, où celui-ci s'est montré exténué, las de tirer les ficelles de Griffintown. Paul a même déjà laissé entendre qu'il avait parfois envie de tout abandonner et de partir refaire sa vie dans un pays chaud, d'aller se la couler douce dans le Sud au bord de l'océan, loin des chevaux et encore plus loin des cochers. Billy ne l'a jamais pris au sérieux ; après tout, lui-même en a aussi bien souvent plus que marre de cette vie de poussière, d'écume et de cuir. Mais il a la couenne dure. Peut-être a-t-il ignoré sans le savoir un signal d'alarme. Peut-être que Paul roule sur la Route 66 et que là où il va, il n'aura plus jamais besoin de bottes de cowboy. Alors pourquoi en avoir abandonné une seule dans le ruisseau ?

~

Un matin, après avoir nourri les chevaux, Billy attelle Maggie et se rend chez un imprimeur tenant boutique à la périphérie de Griffintown pour faire composer un avis de recherche à partir d'une vieille photo de Paul :

« Recherché : Homme avec une seule botte, un tatouage de *track* de chemin de fer sur le bras gauche et peut-être un trou de balle dans le front. Mort ou vif. Rançon offerte $$$. »

Croyant à une blague ou à une mise en scène, l'employé sourit puis, à la vue de l'homme qui se tient debout devant le comptoir, se ravise. Jean délavé, authentiques bottes de cow-boy, vareuse à carreaux, casquette John Deere et cigarette de contrebande vissée au bec : nul doute qu'un véritable desperado lui fait face.

La photo, jaunie et écornée, montre Paul serein, en train de fumer sur le parvis de la basilique devant son plus beau buggy, celui qui a la forme du carrosse de Cendrillon, attelé à Mignonne. Billy s'en souvient comme si c'était hier. Il a lui-même pris cette photo qui date un peu, mais son patron y apparaît heureux, pour une fois. À des lieues des ennuis qui lui pourrissent l'existence depuis quelque temps.

Dehors, un livreur klaxonne ; la calèche est garée au mauvais endroit. Voyant que Maggie a rabattu les oreilles, raidi la croupe et commencé à piaffer de contrariété, Billy règle en vitesse et sort avec une centaine d'avis de recherche sous le bras. Sur le chemin du retour, il en tapisse tous les poteaux de téléphone.

Le sourire de Paul Despatie, répété cent fois comme un appel, comme un présage indéchiffrable. Ou une mauvaise plaisanterie.

~

Marie a encore du mal à croire qu'il y ait des chevaux dans la ville. Dans son esprit, ils sont restés à la campagne où elle a dû les abandonner en embrassant la vie citadine. Les années passées dans la grande ville n'ont pas eu raison de ce désir physique, sauvage, de monter les chevaux, de les approcher, de se lier avec eux, d'appuyer son épaule contre la leur, de poser sa main sur leur chanfrein et de faire glisser sa paume vers leur poitrail tiède. Ces gestes restent inscrits en elle et demandent à éclore à nouveau. Un simple piaffement entendu au loin ravive cette mémoire et la fait crépiter.

Un jour, en se rendant dans la vieille ville, Marie a remarqué les chevaux tirant des calèches et s'est demandé où étaient situées les écuries. Animée par l'envie de les fréquenter, elle s'est inscrite au cours de caléchier. La suite s'est enclenchée d'une façon rapide et étrangement concrète. Elle n'a jamais mis le pied à Griffintown. Elle se sent à la fois excitée et vulnérable, se doute bien que l'écurie où elle s'apprête à pénétrer n'aura rien à voir avec les écoles d'équitation qu'elle a fréquentées par le passé. Plus que tout, elle craint que des chevaux ne souffrent par la faute de l'homme.

En marchant dans les rues cautérisées de Griffintown avec les autres pieds-tendres, Marie remarque l'avis de recherche sur les poteaux de téléphone. Elle a l'impression d'évoluer sur un plateau de tournage : l'air vibre doucement et quelque chose de trouble et de volatil flotte dans l'air, de la poudre d'or mêlée à de la poussière de rouille. Les pieds-tendres ont la sensation d'une légère suffocation, mais ils vont devoir apprendre à vivre avec l'odeur s'ils veulent se faire cochers. Puis, dans un cul-de-sac oublié du monde et de Dieu, érigée dans un décor rafistolé, apparaît l'écurie. L'odeur devient insupportable, et le miasme, si pénétrant que Marie, pourtant habituée à la senteur d'une étable, en a les larmes aux yeux et commence à tousser.

L'arrivée sur les lieux se fait par un marais de merde et de boue qu'on nomme le parking à calèches. Elle remarque l'effet de succion autour de sa botte, le bruit disgracieux qui l'accompagne, et s'en amuse jusqu'à ce qu'elle n'arrive plus à s'extirper de là et commence à s'enliser. Billy vient à sa rescousse. En guise de remerciement, Marie lui offre une des *peppermints* qu'elle destine aux chevaux. Il enfouit le bonbon dans sa bouche, révélant des chicots noirâtres. L'état de décrépitude de l'endroit a gangrené jusqu'aux dents du palefrenier.

L'écurie est en partie occupée par des chevaux de trait, titans coincés dans de minuscules entre-deux. Premier coup au cœur. Profitant du fait que le groupe s'éloigne pour poursuivre sa visite des lieux, Marie pose une paume sur la fesse noire de Pearl, qui tressaille, surprise. La jument ressent dès ce premier contact une vibration bienveillante. Alors, Marie se glisse à son flanc et toutes deux se toisent un moment. Elle dépose une pomme verte sur la galette de foin, après l'avoir séparée en deux parts égales à l'aide du pouce d'un geste machinal, répété mille fois. La jument n'en fait qu'une bouchée tandis que Marie plonge la main dans son abreuvoir pour retirer les saletés qui s'y sont logées : brindilles de foin, duvet de pigeon, un enchevêtrement de filaments crasseux et de toiles d'araignée. Elle fait couler l'eau jusqu'à ce que celle-ci s'éclaircisse et remarque qu'une égratignure barre le chanfrein de la bête ; elle se promet de la soigner. Du bout de ses lèvres élastiques, la jument profite de la proximité de Marie pour vérifier s'il ne resterait pas par hasard une sucrerie pour elle dans sa poche. Elle tombe sur les friandises roses qu'elle croque, satisfaite. Marie plonge son visage dans la longue crinière de la bête et la hume profondément.

— As-tu besoin d'une job?

Billy a observé la scène. Si cette fille travaillait pour Paul, les chevaux seraient en bonnes mains.

— Oui, je suis inscrite au cours de conducteur de calèche. J'aimerais ça travailler ici.

— Parfait. Tu commences dans deux jours. Moi, c'est Billy.

À la fois désarçonnée et amusée par la tournure des événements, Marie s'apprête à rejoindre le groupe quand soudain son attention est captée tout entière par la vision d'un cheval à la robe louvette qui attend patiemment qu'on l'attelle. John apparaît avec le harnais et une chaudière de moulée.

— Belle bête, observe Marie.

John n'aime pas beaucoup les humains, encore moins les nouveaux cochers. Il ne tolère pas leur manque de savoir-faire, trouve leur ignorance dangereuse. Et puis cette fille est bien trop jolie pour travailler sur une calèche.

Marie fait glisser son pouce à la commissure des lèvres du hongre pour vérifier l'usure de l'émail des dents et déterminer son âge. Par réflexe, il entrouvre la bouche.

— Je dirais qu'il a huit ou neuf ans. C'est un très beau cheval, mais il est mal ferré, ça se voit tout de suite à l'enflure du paturon.

Cette fille connaît les chevaux. John voit immédiatement qu'elle a le profil de l'écuyère, le genre qui prétend tout savoir et passe des heures à panser son cheval dans l'écurie, mais qui finit par le brûler à force de trop lui en demander. Les petites filles sont exigeantes et se montrent parfois impitoyables, il le sait trop bien. L'été précédent, Billy et lui ont dû aider Lucky à se relever à coups de pétards à mèche après qu'une jeune cochère l'a poussé à bout. Les chevaux donnent tout, par bravoure bien plus que par orgueil, et s'effondrent ensuite, brisés. Petites précieuses, cavalières despotes ; John les abhorre.

Dans un concert de claquements de cuir sec et de métal entrechoqué, le cocher ajuste la sangle, fait reculer la jument vis-à-vis la calèche, ajuste les aquiloirs, vérifie l'angle du trait, boucle les dernières ganses, se hisse jusqu'au banc du cocher, agrippe une longue cravache.

— Tasse-toi de là si tu veux pas te faire écraser le pied par une roue ou un sabot.

Il y a, dans les yeux de cet homme, quelque chose de dur et de dévasté, l'écho vain d'un champ de ruines. Marie fait un pas en arrière.

~

Le lendemain en fin d'après-midi, alors que deux ou trois chevaux patientent dans l'allée avant qu'on les attelle pour la ronde du soir, le ronronnement d'un gros camion au moteur fatigué se fait entendre.

— Billy ! Ton *shitload* de garnotte est arrivé ! aboie Lloyd qui prépare un sac d'avoine pour la Charogne.

Sans quitter sa cabine, le conducteur du camion déverse une montagne de roches grises tout près du buggy de Cendrillon. Armé d'un râteau et d'une pelle, Billy entreprend, comme à chaque début de saison, de recouvrir le pudding impur qui tapisse le sol.

Pour les chevaux vétérans, ce bruit annonce un confort accru. La poussière de pierre absorbe la moiteur environnante, tempère l'air de l'écurie, offre un climat plus indiqué pour les articulations abîmées et les jarrets sensibles.

Recouvrir la souillure environnante, faire rouler les cailloux sur la merde est pour Billy, avec le roulage de cennes noires, l'activité qui se rapproche le plus d'une pratique spirituelle. Il le fait chaque année en priant silencieusement pour que l'abondance advienne à Griffintown, pour que souffrance et malveillance restent à l'écart. Il prie pour que les chevaux soient solides sur leurs pattes, pour que les cochers se tiennent sans vaciller, pour que Paul revienne, pour qu'Evan disparaisse… Pour que la radio cesse de gricher ! Il va donner un coup de poing sur l'appareil et revient à sa tâche, se laissant envahir par la gratitude. « Merci pour le lit et l'abri où on me laisse dormir. Merci pour le petit Chinois qui vient livrer de la liqueur, du café instant, des oignons et du steak haché. Merci pour la santé, malgré le mal de dents. Merci, je suis debout et reconnaissant. »

Du gris par-dessus la purée noirâtre, un menu tintement de pierraille comme une cloche qui annonce le retour à l'école et sonne la possibilité d'un recommencement.

L'air est doux, c'est propre et tranquille à l'écurie, presque tous les entre-deux sont maintenant occupés, et dans le frigo, un restant de pâté chinois et quelques canettes de Dr Pepper attendent Billy. Il se met à fredonner une chanson dont il se souvient des paroles à moitié. Il articule mal, mais ne fausse pas.

La garnotte a enfin étouffé le miasme ; la dernière saison de calèche peut commencer.

~

À la lisière du jour, après avoir dérivé près d'une semaine, Paul est le dernier à franchir les limites du territoire, les pieds devant. C'est Grande Folle qui le découvre, près du ruisseau, sur le flanc, comme un ivrogne écroulé dans une position impossible.

Grande Folle touche son épaule et, pressentant le pire devant l'absence de réaction, le fait rouler sur le dos. Paul tourne vers elle un visage de martyr au teint plombé. Il a les traits bouffis, le corps détrempé, des marques pourpres autour des poignets et deux trous rouges au cœur.

Elle lâche un long cri, curieuse oscillation entre sa voix rauque d'homme et un *falsetto* de femme, puis se tait. Ne quittant pas le cadavre des yeux, Grande

Folle recule jusqu'à la roulotte de Billy, déjà en train d'enfiler ses bottes.

— Paul est mort! hurle la corneille de malheur en pointant l'eau noire.

Son maquillage a coulé, une ombre traîtresse couvre ses tempes et son menton.

— Ôte ta robe pis viens m'aider, ordonne Billy, la mâchoire serrée.

Ils hissent le cadavre dans une brouette. Le corps de Paul est plié en ciseaux, et ses mains et ses pieds, rigides, ruisselants, dépassent comme s'ils étaient de trop. Billy se souvient qu'il y a à la cave un vaste congélateur où Paul conservait les canards et les chevreuils qu'il chassait l'automne. Ivre de panique, le palefrenier a l'idée d'y déposer la dépouille; il faut agir vite. Ils sortent du congélateur un jarret d'orignal et une perdrix, puis entreposent le corps de Paul en attendant de trouver sépulture plus digne.

On a liquidé le patron. L'ordre des choses, jusque-là immuable, vient d'être renversé. Il y aura des questions d'honneur à soupeser, peut-être une vengeance à orchestrer et probablement un message à décoder. Les hommes de chevaux vont devoir rétablir la justice ou s'en fabriquer une et l'imposer. En règle générale, les policiers ne viennent pas au Far Ouest; les autorités laissent les hommes de chevaux régler leurs affaires entre eux, en autant que leurs histoires ne débordent pas les frontières du territoire. Ce qui se passe à Griffintown reste à Griffintown ; il en a toujours été ainsi.

Qu'a-t-on voulu, en signant ainsi le meurtre, signifier aux hommes de chevaux ? Billy n'a jamais cherché à être tenu au courant de ce qui se tramait en coulisse, se contentant de tenir l'écurie. C'était bien assez comme ça. Aujourd'hui, il regrette de ne pas avoir tenté d'en savoir plus.

Dans l'écurie, les chevaux ont faim.

LA DEUXIÈME BOTTE

Droite et béante, aussi obscure qu'une énigme, la botte de Paul trône sur la table, à côté du pot de café soluble. Le cuir s'est raidi en séchant et ondule comme du carton. Billy a préparé le café fort ce matin, l'a sucré généreusement, et tout en sirotant cette mélasse claire, il réfléchit à la mort de son patron. Le palefrenier en fait une affaire personnelle.

Il se souvient d'un film qu'il a vu des années auparavant, dans lequel un cow-boy en cavale avait caché son fusil tout au fond de sa botte et leurré ainsi un riche homme d'affaires. En apercevant la botte par le hublot d'un wagon de train, l'homme d'affaires en avait déduit qu'un brigand réfugié sur le toit cherchait à s'introduire dans la cabine. Il guettait la botte en silence, aux aguets, le doigt sur la gâchette d'un revolver, sans savoir qu'une main tenant un pistolet s'y cachait, que la gueule du canon se nichait à la trépointe de la botte. L'homme avait eu le front troué avant de comprendre ce qui lui arrivait.

Billy plonge le bras dans la botte de Paul, en ressort quelque chose de poudreux, une gerbe de chiendent desséchée. C'est déjà mieux qu'un chaton noyé.

Le bruit de pneus roulant sur la pierraille le sort de sa contemplation : Grande Folle a appelé un taxi. Plutôt que de revêtir la crinoline et la jupe froufrouteuse qui composent le bas de sa robe, elle a enfilé un pantalon de jogging. Avec sa gaine, le string couleur chair qui monte sur ses hanches étroites, sa toque à plumes et un vieux pantalon défraîchi, elle ressemble à un ange tombé en disgrâce. Grande Folle appartient à la nuit. L'aube freine sa métamorphose, révèle ses traits d'homme, sa barbe naissante et ses faux cils.

Billy sait peu de choses sur Grande Folle, si ce n'est qu'elle a jadis été le compagnon de cellule de son ami Ray, le palefrenier qui repose désormais en paix entre un bosquet de chardons et la butte de ferraille, sous une tombe de fortune sur laquelle on peut lire l'épitaphe suivante : « Mort les bottes aux pieds. » À côté de Ray, sous une croix, gît le grand corps effondré de Mignonne-la-Blanche. Le cimetière de Griffintown se limite à ces deux sépultures. Dans le secret de la terre, les squelettes de Ray et de Mignonne sont unis. Tous deux sont morts à l'écurie. Les autres cochers et chevaux vont s'éteindre, plus discrètement, en périphérie du Far Ouest, en des lieux sans âme où même les sabots se taisent.

Tout en plumant la perdrix trouvée dans le congélateur, Billy se demande comment disposer de la dépouille de Paul. Il embroche l'oiseau mais ne sait pas davantage quoi en faire.

~

Georges est le premier à qui Billy annonce la mort du patron. Il apprend la nouvelle dans la remise aux harnais. Le cocher étoile fronce les sourcils, regarde par terre. L'angle de ses pommettes se précise, devient saillant un court instant, puis se relâche. Hommes de peu de mots, ils se taisent tous les deux, puis descendent à la cave, l'échine pliée pour ne pas se cogner la tête. Par précaution, Billy a verrouillé le congélateur à l'aide d'un cadenas qui pendait au bout d'une chaîne entortillée, et a rangé en secret un fusil chargé derrière le congélateur, à côté de la trappe à souris. Après s'être assuré que l'arme y est toujours, il ouvre le couvercle. Georges a le souffle coupé. Il se ressaisit, puis dans un geste inattendu, s'agenouille pour prier. Il se signe, se relève. Avant de remonter par l'échelle, il confie au palefrenier :

— Si je pogne celui qui a fait ça, je l'éventre avec un cure-pied pis j'y fais bouffer ses tripes.

~

Une procession de cochers assombris par le deuil défile à la cave tout le jour durant. La plupart observent le silence et baissent les yeux devant le mort plié en ciseaux. Les autres grommellent une longue série de sacres. Evan, l'assistant de Paul, reste étonnamment muet, démuni durant trois bonnes minutes. Puis il pointe Paul du doigt comme s'il avait voulu se battre avec lui et lance :

— T'as pas le droit de me faire ça!

Il donne un grand coup de pied sur le congélateur et remonte l'échelle en boitillant.

~

À l'Hôtel Saloon, l'obscurité ambiante contraste avec la luminosité printanière. La nuit se prolonge à l'intérieur, un peu moins opaque qu'après le crépuscule. Deux heures de l'après-midi et la place est bondée de cochers qui discutent fort en postillonnant. L'un d'eux est déjà tombé deux fois en bas de sa chaise.

L'endroit est tenu par Dan, un cousin de Paul. Tenancier au flegme légendaire, il est toujours tiré à quatre épingles, gilet barman et le cou décoré d'un nœud papillon. Au fil des ans, Dan a servi un nombre incalculable de pichets de pisse de cheval aux clients, pour la plupart des habitués. Le succès de l'endroit tient en partie au fait que le quartier voisin est *dry,* comme on dit à Griffintown, c'est-à-dire qu'à Verdun, aucun commerce n'est autorisé à servir de l'alcool. On raconte que Marguerite d'Youville, qui avait fait un mauvais mariage en s'unissant à un ivrogne volage s'adonnant au trafic d'eau-de-vie avec les Indiens, avait cédé cette partie du territoire à condition qu'on y applique la Loi sur la tempérance interdisant les tavernes, les cabarets et les bars. Mère Marguerite était à la tête de la congrégation des Sœurs Grises, grises parce que la mauvaise réputation de François d'Youville les avait éclaboussées.

Elle avait décidé que plus personne ne serait gris à Verdun, sauf les sœurs.

Il en va tout autrement à Griffintown. Le Saloon est situé à deux pas d'une station de métro et à quelques foulées des écuries. On y sert bière, chips, œufs dans le vinaigre, langues de bœuf et du rosbif le vendredi. Il n'en fallait pas plus pour que l'endroit devienne le repaire d'une faune bigarrée, constituée d'ouvriers d'une usine de valises de plastique multicolores située à proximité, d'anglophones d'ascendance irlandaise, d'immigrants polonais et de cochers. Autres signes distinctifs : près de l'entrée, un poteau où attacher les chevaux ainsi qu'un abreuvoir en laiton, on entre par des portes battantes, la façade est ornée de trois petits trous de balles perdues et, sur une tablette à l'intérieur, plusieurs bocaux de piments bananes qui n'ont jamais fait saliver personne colorent le marbre vert des murs et accumulent la poussière. Mais ce qui fait l'âme de la place, plus que tout, c'est le buste de Boy, fixé au mur entre le comptoir où Dan astique les verres à bière et les toilettes mixtes. « R.I.P. Boy, premier cheval de Norm », peut-on lire sur une petite plaque. Norm, c'est Normand Despatie, le père de Paul, décédé à trente ans d'une pneumonie. Il avait eu le temps d'implanter à Griffintown le business de la calèche et de faire venir de Beauce un cheval de labour : Boy, le cheval fondateur. La patine mate de ses crins et le pourtour desséché de ses yeux indiquent qu'il veille sur la petite société des hommes de chevaux depuis un bail, ou deux. Depuis si longtemps à vrai dire que plus personne ne remarque sa présence.

Mais tous auraient dénoncé à grands cris son absence si quiconque avait osé le décrocher de là. On traite le buste de Boy avec une déférence semblable à celle que l'on réserve aux statues de la Vierge à la basilique Notre-Dame, ou encore au monument à la mémoire de Chomedey de Maisonneuve sur la place d'Armes. On ne le voit plus, mais on le veut là.

Lorsqu'il apprend la mort de son cousin, Dan ne perd pas sa contenance. Il se contente de dénouer le nœud papillon qui lui serre soudain la gorge, se verse une grande rasade de pisse de cheval, s'assoit sur un tabouret au bar, et vide son verre d'un trait.

Puis, tout l'après-midi et jusqu'à tard le soir, les cochers boivent et discutent fort, se remémorant les bons moments avec Paul et le souvenir d'anciens chevaux qu'ils ont conduits. Ils en profitent pour mettre à jour quelques légendes et pour en ébaucher de nouvelles. Ils inventent des projets de torture destinés à celui ou à ceux qui ont eu la peau de Paul, des plans impliquant leurs chevaux : jambes et bras attachés à quatre percherons lourds et l'écartèlement spectaculaire qui s'ensuivrait. Puis les cochers se taisent brusquement ; quelque chose dans cette histoire fuit entre leurs doigts. L'alcool tempère les tourments pendant quelques heures, mais, dès le lendemain, la gueule de bois aidant, soucis, émois et un certain appétit de vengeance se réveilleront en eux.

Il faudrait aller se recueillir, prier en silence sous le buste de Boy, faire preuve d'humilité. Mais il est trop tard. Paul est toujours plié en deux dans la cave, juste sous son bureau, le visage plombé, le corps de plus en plus rigide, figé dans une torsion impossible au fond d'un congélateur cadenassé autour duquel la vermine se reproduit. Qui peut bien avoir commis l'irréparable et bouleversé par le fait même l'ordre et la hiérarchie du Far Ouest?

Le coup porté se voulait fatal, on a attaqué la tête du business. Mais les hommes de chevaux ont la peau dure comme du cuir, il en faut plus pour les disperser. L'ordre reviendra à Griffintown.

~

La porte du bureau de Paul est verrouillée; Billy va devoir s'occuper de ça aussi. Le palefrenier ne sait pas par où commencer. Il songe à acheter un chien, un pitbull, une bête prompte et colérique à l'oreille fine pour veiller sur les lieux lorsqu'il dormira, puis chasse cette idée : il y a déjà assez d'animaux sous sa gouverne. Et, de toute façon, il ne dort que d'un œil.

Debout dans la cuisine près du micro-ondes, Billy attend que son repas surgelé soit prêt lorsqu'il entend du bruit du côté de la rue Basin, à l'est : une portière de voiture s'ouvre puis se referme. Il passe discrètement au salon, s'enveloppe dans le rideau puis, telle une sentinelle en faction, attend. Son cœur bat la chamade; il s'en veut d'avoir laissé le fusil à la cave, derrière le congélateur. C'est idiot, il devrait le garder à portée de main.

Dans un roulement sourd et étiré, une Mercedes aux vitres teintées passe sans se presser devant l'écurie, comme une anguille portée par le courant d'une rivière.

— T'écornifles, mon snoreau ? lance John en entrant dans le salon.

Billy sursaute, puis il est soulagé de voir que ce n'est que le cocher. Une équation complexe, à multiples inconnues, occupe toutes ses pensées. C'est lourd à porter ; il a besoin de calme, de silence. Il ne pourrait pas, par exemple, tolérer la présence d'Evan.

Dans les rues hasardeuses de Griffintown, on voit rarement circuler d'autres véhicules que les tacots des cochers, de lourds camions à la benne remplie de paille, de foin ou de pierraille, le pick-up de Paul auquel était parfois attachée une remorque… Le camion de Paul ! Où peut-il bien avoir été abandonné ?

— Presque toutes les calèches sont au mur, qu'est-ce qui se passe ? s'informe John.

Il faut le mettre au parfum lui aussi, l'emmener à la cave. Billy, soupirant, invite John à s'engouffrer à sa suite dans les ténèbres.

~

En prévision du lendemain, jour un de sa nouvelle vie d'aspirante cochère, Marie a écumé les étalages d'une boutique équestre et rapporté une étrille, une brosse dure, un baume miraculeux qui guérit les blessures et fait repousser les poils sur les cicatrices, du revitalisant pour démêler les longues crinières ébouriffées, des élastiques à crins, un cure-pied et des éponges. Elle s'est également procuré un onguent dispendieux pour soigner et nourrir les fourchettes meurtries sous les sabots des chevaux, un pinceau applicateur, et un gallon d'Absorbine pour soulager les jarrets endoloris des bêtes.

À la pensée qu'elle s'unisse à nouveau aux chevaux, son cœur cogne dans sa cage thoracique comme pour s'en extraire, Marie le sent battre jusque dans ses tempes. Elle passe la soirée à réviser ses notes sur le petit balcon pendant que son ex vide l'appartement. La rupture, provoquée par Marie, est fraîche comme une coupure ouverte. Il s'était montré blessé et en colère, mais c'était aussi bien comme ça. Il n'approuvait pas le nouveau choix de carrière de Marie. Il la jugeait et parlait de plus en plus souvent de retourner vivre en banlieue. Un monde s'était immiscé entre eux et les éloignait déjà : celui, rude et magnétique, des hommes de chevaux.

Après avoir avisé Marie qu'il reviendrait sous peu avec son frère pour récupérer les électroménagers et le reste de ses affaires, il claque la porte. Marie ferme les yeux et se voit sortir d'elle-même avec une fluidité enivrante. Pendant qu'une partie de son être s'évanouit, se dissout dans l'air en fines particules, quelque chose comme un ancien moi rabroué, tenu rênes courtes depuis trop longtemps, renaît. Il y a en elle quelque chose de farouche, de redoutable, une fibre sauvage en inadéquation avec le monde civilisé qu'elle a dû se résoudre à museler pour pouvoir fonctionner en société. Cette partie d'elle pourrait revivre auprès des chevaux. Et, de toute manière, les cochers lui avaient semblé aussi peu engageants et mésadaptés qu'elle, encore davantage même. Marie pourrait enfin se départir de ses airs de fausse civilité. Tous verraient apparaître, derrière ce masque fané, un minois aux traits racés et aux yeux chevalins. La fréquentation de l'espèce a, par une étrange alchimie, forgé la ressemblance.

Elle a faim d'un nouveau monde, cherche une façon d'y accéder. Elle le trouvera même si les pieds-tendres ne sont pas les bienvenus à Griffintown.

~

Marie abandonne sa bicyclette dans un bosquet de chardons. Trois calèches quittent l'écurie, attelées à des chevaux dont un qui la fait sourire : blanc, presque angora, drôle de tête et crinière anarchique, tirant une calèche rose d'un kitsch exalté conduite par un homme d'humeur massacrante.

Mai n'est pas un gros mois de calèche et c'est à ce moment que débute, tranquillement d'abord, la saison. Les cochers se contentent de journées courtes et rentrent tôt, laissant aux chevaux le temps de s'acclimater à l'effort avant que l'été ne décolle vraiment.

Intimidée, Marie avance vers l'écurie pour entamer sa première journée de formation. Dès qu'elle aura les rênes en main, ce sera dans le sac. C'est, du moins, son impression.

Billy, son contact, paraît débordé. Il exécute une chorégraphie rythmée par les claquements de cuir et l'affligeante symphonie des roues qui grincent, harnache les chevaux, ajuste les sangles et coordonne les déplacements des hommes et des animaux.

Balayant les lieux du regard, elle reconnaît les jumeaux du cours de cocher qui douchent un cheval et les salue. Deux autres aspirants cochers sont aussi arrivés : un homme affable d'une cinquantaine d'années et un autre, plus jeune, l'air aussi égaré qu'elle. Personne ne leur accorde la moindre attention dans le brouhaha du départ des calèches et l'arrivée de nouveaux chevaux. Marie se dirige vers le palefrenier.

— Salut Billy, je viens pour mon *training*.

Il prend le temps de la détailler : Marie a remonté ses cheveux en chignon et porte une jupe fleurie. Elle ressemble davantage à quelqu'un qui s'en va suivre une leçon de piano qu'à un cocher.

— Va avec Alice, bredouille le palefrenier entre ses dents mortes.

Dans un coin, une femme âgée d'une cinquantaine d'années panse un cheval de trait alezan un peu court sur pattes. Elle porte un chapeau de paille sur une longue tresse. Légèrement à l'écart des autres, elle prend tout son temps. Marie remarque, sur le banc de sa calèche, un gros sac de carottes. Ce détail la met en confiance.

— Bonjour, c'est vous, Alice? ose-t-elle.

La femme pouffe de rire. Marie a soudain l'impression qu'on se moque d'elle.

La cochère raconte ce qui vient de se passer aux autre, et une salve de fous rires se répand, on se tape sur les cuisses, on s'éclate la rate. Même Billy, dans la tourmente des allées et venues qu'il coordonne, prend un moment pour se payer la tête de Marie.

— Je m'appelle Trudy, dit la cochère. Alice, c'est le grand sec là-bas.

~

Alice s'engueule avec quelqu'un sur son cellulaire. Il raccroche, demande à Billy s'il a bientôt fini de préparer sa calèche, s'allume une cigarette. Marie le toise de loin, découragée. L'idée qu'elle pourrait tout abandonner, quitter à jamais ce monde inhospitalier et rentrer chez elle lui passe par la tête. Elle se réfugie un moment dans l'écurie au flanc de Pearl, son seul repère, en ressort quelques minutes plus tard et se dirige, d'un pas un peu moins résolu, vers la remise à calèches.

— Pis, t'embarques ou tu *chokes*? demande Alice.

Debout dans une calèche de bois attelée à un cheval noir, arborant une sculpturale coupe Longueuil et
un blouson de jean sans manches, Alice pourrait
aussi bien être le diable en personne qui lui ouvre
une porte menant droit en enfer. Marie monte sans
hésiter.

Les fesses serrées à côté de celles d'Alice sur le
banc du cocher, elle tente de nouer la conversation
en s'intéressant au cheval. Après deux minutes de
covoiturage forcé, Alice paraît exaspéré.

— Non, je sais pas son nom, ni son âge, ni sa race,
répond-il en regrettant d'avoir fait monter Marie avec
lui. Pendant dix ans, j'ai conduit Mignonne, la meilleure jument de Griffintown, la plus belle, la plus
brave. Elle est morte maintenant. Les autres picouilles
m'intéressent pas.

— Je comprends, c'est comme une peine d'amour.

Alice fronce les sourcils.

— Non, tu comprends pas.

— Est-ce que je peux tenir les rênes? demande
Marie avec le zèle du débutant.

— Es-tu folle? Une chose à la fois, tu vas trop vite!

Sous le ciel vibrant de mai, rue Ottawa, un entrepôt gris, sans fenêtre, décoré d'une coquette porte
rose, se détache des autres entrepôts. Marie veut
savoir ce qu'il y a à l'intérieur, mais freinée par le
caractère teigneux de son professeur, elle ravale sa

question. À gauche, attelé à la Charogne, Lloyd les double sans leur jeter un regard. Marie sent sa calèche accélérer. Elle ignore si c'est sous l'effet de l'orgueil d'Alice ou du cheval. Probablement un peu des deux.

— Arrête de regarder partout comme ça et mémorise le trajet qui mène de l'écurie jusque dans le Vieux, ordonne Alice, hors de lui. C'est ça que j'essaie de te montrer !

— Coudon, t'es ben bête, Alice ! Je veux juste…

— Débarque.

— Quoi ?

— Descends, tu me tapes sur les nerfs. Tu parles trop. Ça me donne mal aux oreilles. Vite, en bas ! Je suis pas beau quand je me fâche.

Marie se retrouve seule au milieu d'une rue déserte, en plein Far Ouest. Elle n'a aucune idée de l'endroit où elle est. Mais elle a réussi à entrer à Griffintown. Elle observe Alice et son cheval sans nom s'enfuir au trot. Autour d'elle, plusieurs affiches annoncent la disparition d'un homme.

~

Assis sur le buggy jaune attelé à Poney, John s'engage dans la rue Ottawa en maudissant les nids-de-poule. Aucun cocher ne voulait de sa calèche qui avait la réputation de mal *loader* : jaune moutarde sur un cheval brun, ce n'est pas très vendeur. Mais John n'a jamais eu de difficulté à convaincre les touristes. Son personnage se veut moins flamboyant que celui de certains autres cochers, *idem* pour sa calèche, mais il inspire confiance.

Il est content de retrouver Poney après quelques jours passés en compagnie du haflinger louvet qu'il a promené la veille autour de la basilique et qui s'emballe au moindre bruissement de feuilles dans les arbres. Ce cheval ne passera probablement pas l'été à Griffintown. Quant à Poney, c'est un vieux routier, il va toujours d'un bon pas, sans louvoyer, calme mais alerte, et John n'est pas mécontent de le retrouver. De son banc de calèche, il le lui dit et Poney oriente une oreille vers l'origine de la voix. Le cheval décode dans le ton de la mansuétude à son endroit.

Soudain, un bruit attire l'attention de John. La mystérieuse porte rose, toujours close, d'un hangar devant lequel il passe tous les jours s'entrouvre. Une fille en sort. Le voyant approcher, elle lève le pouce. John reconnaît la fille croisée à l'écurie.

— Alice t'a déjà donné ton congé?

— Il est pas très patient, cet homme-là, observe Marie en s'approchant.

— Et puis, qu'est-ce qu'il y a dans le hangar?

— Je vais te le dire à condition que tu me laisses passer la journée avec toi.

— Laisse tomber…

— Non mais c'est quoi votre problème, les cochers ? J'essaie d'apprendre comment faire… Avec tout ça, je sais même plus où je suis, c'est un vrai *no man's land* ici !

Clac, clac, clac, cloc, clac, clac… La calèche jaune s'éloigne. Découragée, à court d'idées, Marie défait son chignon, s'étend sur l'asphalte chauffé par le soleil. La poussière souille sa chevelure. C'est en quelque sorte la première étape d'une longue initiation ; pour devenir cocher, il faut d'abord laisser la crasse et la saleté se déposer sur soi comme une seconde peau de cuir. L'odeur suivra.

Clac, clac, cloc, clac, clac… John revient vers elle avec un sourire malicieux.

— Je te niaisais, dit-il.

— Ha ! ha ! très drôle…

— Fais pas cette tête-là et monte avant que je change d'idée.

— Ton cheval a un fer lousse, en passant, signale Marie en mettant le pied dans la calèche.

— Je commence à comprendre pourquoi Alice t'a débarquée.

— Un trou.

— Quoi ?

— De l'autre côté de la porte rose, il y a un grand trou.

— Qu'est-ce qu'il y a dans le trou?

— Rien. Et ça schlingue. Mais quand même moins qu'à l'écurie.

John montre à Marie comment enrouler les rênes autour de ses doigts, ni tout à fait à l'anglaise ni en western, l'idée étant, ultimement, d'apprendre à les tenir d'une seule main, en un U coulissant qui semble compliqué pour le novice mais qui vient naturellement au cocher d'expérience. Tout cavalier recyclé en cocher trouve d'abord étrange le fait de ne pas faire corps avec l'animal, de ne pas l'avoir en dessous de soi, de ne pas pouvoir communiquer avec lui par la posture, l'assiette et le positionnement des jambes — remplacés par la voix, dont le rôle est plus déterminant qu'on peut le croire. Marie sait comment parler aux chevaux : d'un ton franc, ferme, légèrement autoritaire, comme si elle s'adressait à un enfant inquiet, sans jamais mentir. Son véritable apprentissage du métier commence.

John lui enseigne comment faire glisser la chambrière entre ses doigts sans perdre la juste tension des rênes. Elle s'y oppose, n'en veut pas. «Prends-la quand même, c'est pour éloigner les deux de pique qui vont passer trop près de la calèche. Il y en aura, tu vas voir.»

Marie apprend à balayer du regard l'horizon proche et lointain. L'apprentie absorbe tous les conseils de John, boit sa science cochère, ce qui rend le professeur généreux et prolixe dans son enseignement.

— Quand tu connaîtras ton cheval, tu pourras faire comme Dédé, poursuit-il, qui lit, dort, mange et fait des sudokus tout en conduisant Beauté, la jument la plus calme mais aussi la plus lente de tout Griffin-town — y'a de quoi s'endormir avec elle. Mais pour le moment, qu'est-ce qui te dit que ton cheval ne s'emballera pas à cause d'un banal sac en plastique enroulé autour de son sabot ou en voyant approcher l'Amphi-Bus? Tu le connais pas, tu sais pas ce qu'il a dans le ventre, reste aux aguets. J'aime mieux te prévenir, ton premier été sur la calèche ne sera pas de tout repos, c'est pas un travail comme les autres. Les filles vont être sur ton dos… C'est comme ça ici : les filles s'occupent des filles, les gars, des gars. Faut que tu mérites ta place, t'auras pas tout cuit dans le bec, c'est *rough*. T'as l'air de connaître un peu les chevaux, ça va t'aider, mais c'est pas tout, tu sais même pas encore comment reculer ou remettre en place un élastique à pneu — dès que t'accroches un coin de trottoir, ça tombe —, et puis si tu joues un peu trop au p'tit Jos connaissant, je te jure que tu feras pas long feu ici.

— Elles sont où, les cochères?

— Oh! elles vont venir à toi, t'en fais pas. Tu vas les rencontrer bientôt, répond John, sourire en coin.

— Tu me fais peur avec tes histoires.

— Conduire une calèche, c'est risqué. Imagine si le buggy se renversait… ou si ton cheval se détellait. Ooooooooooh que ta mère aimerait pas voir ça, ma p'tite chouette!

Se faire appeler ainsi est la chose la plus rassurante qui soit arrivée à Marie depuis qu'elle a mis le pied à Griffintown.

— Tu verras, poursuit John, tes collègues, c'est pas tous des enfants de chœur...

— Parlant de collègues, pourquoi un dur à cuire comme Alice porte un nom de femme?

— Parce qu'il ressemble à Alice Cooper. T'es bien la seule à ne pas l'avoir remarqué!

En plus de s'être imposée dans sa calèche, Marie fume ses cigarettes. Elle fait toutes sortes de choses qui d'ordinaire exaspèrent John, comme poser des questions sans arrêt, dont certaines, plusieurs même, auxquelles il ne sait quoi répondre. Elle lui demande où vont les chevaux et les cochers après la grosse saison... Il n'a jamais entendu personne formuler aussi ouvertement cette question. Il lui ordonne de se taire quelques minutes, d'écouter le silence. Elle parle quand même, mais il ne l'écoute plus ; son attention se porte sur sa chevelure longue, drue et sombre, semblable à une crinière et dont une mèche chatouille son bras lorsqu'elle se tourne pour regarder à gauche.

Il y a dans la posture de Marie et dans la longueur de son cou un rappel de la noblesse gracile et du port de tête des pouliches encore tièdes du flanc de leur mère, de celles qui ne viennent pas à Griffintown. Il songe que Marie se casserait les poignets si son cheval s'emballait et qu'elle tentait de le retenir.

Cet été — le dernier — sera différent des autres. C'est écrit dans le ciel délavé aux reflets ocre. À Griffintown, la crasse fauve déteint jusque sur le bleu du ciel.

~

Paul disparu, quelqu'un parmi les cochers et hommes de chevaux allait devoir se faire caïd à son tour pour que le manège continue à tourner. Le sujet est sur toutes les lèvres au Saloon. Qui? Qui peut assumer ce rôle vital? Griffintown est pour le moment aussi vulnérable qu'une poule renversée cul par-dessus tête par une violente bourrasque; il faudrait la remettre sur ses pattes, et vite.

Quelques candidats s'imposent : Georges le cocher étoile, un homme fier et fiable, mais qui préfère continuer à se concentrer sur sa petite affaire. Evan se manifeste. Depuis toujours assoiffé de pouvoir et de prestige, il insiste tant qu'il en devient louche; des sourcils se froncent. Sa candidature est écartée. Tous connaissent sa part d'ombre et la zone enténébrée où il s'abîme parfois sans crier gare, «ses mauvaises passes», comme il les appelle. Le chef se doit d'être en tout temps solide et droit. Lorsque John pousse les portes battantes, plusieurs envisagent sa candidature. On le sait loyal et juste, honnête. Mais John décline l'offre d'un geste de la main, prétextant que cet été sera son dernier et qu'il vaut mieux pour ceux qui resteront de se tourner vers quelqu'un qui désire s'enraciner à Griffintown. «L'Indien?» propose

John. L'Indien, un Huron-Wendat exilé à Montréal, s'étouffe dans sa bière et se demande si on se paye sa tête. «*No way*», répond-il. Il est, de toute façon, déjà passablement occupé par son petit commerce de cigarettes à plumes.

Lloyd délaisse son appareil de loterie vidéo deux minutes et se tourne vers ses confrères.

— Billy? suggère-t-il.

— Pas fou, dit John, mais il en a déjà pas mal sur les bras.

— Ça lui prendrait un *helper,* renchérit Lloyd.

— Le Rôdeur? propose Georges. Il est revenu à l'écurie il y a quelques jours…

— Non, pas le Rôdeur, dit Joe, un des anciens. Il est sourd comme un pot, il en perd des bouts, il disparaît de temps en temps… Si c'était un cheval, ça ferait longtemps qu'on l'aurait envoyé faire de la colle.

Evan est l'assistant de Paul depuis plusieurs années. Ce rôle plus humble lui revient. Les regards se tournent vers lui.

Il espère plus, mais s'en accommoderait. Il n'a pas le choix de toute façon. Cette petite civilisation cochère et ses lois à l'ancienne, c'est tout ce qui lui reste.

~

Billy nettoie les entre-deux lorsque la sonnerie du téléphone retentit dans l'écurie. Il dépose la pelle, s'essuie le front avec le revers de sa manche et répond. L'échange avec John dure quelques secondes, puis le palefrenier, contrarié, raccroche sans saluer. *Primo,* il déteste quitter l'écurie, surtout lorsqu'il n'y a personne sur les lieux. Cela lui arrive rarement, pour ainsi dire jamais. *Secundo,* il a encore du boulot : finir les stalles, sortir les poches de bran de scie, en jeter quelques pelletées sous les sabots des chevaux... La journée est loin d'être terminée pour lui.

Dans la remise aux harnais, sur une planche clouée au mur, une vieille selle western est accrochée depuis une éternité. Billy monte sur l'escabeau du forgeron et la fait glisser sur le plat de son avant-bras. Un petit coup d'huile de sabot de bœuf pour nourrir le cuir ne nuirait pas, mais il n'a pas le temps. Il passe un chiffon sur l'arçon et le troussequin, et évalue d'un coup d'œil la longueur de la sangle, bien trop courte pour un cheval de trait, mais les retailles de cuir dans le coffre feront une rallonge idéale.

Maggie. Il veut monter Maggie car elle a le dos creux et la croupe haute. La jument se laisse seller sans broncher, mais lorsque Billy serre la sangle, elle mord l'air, émet deux claquements sourds de ses dents jaunes. Il doit monter sur l'escabeau pour se hisser jusqu'au dos de Maggie, haute de dix-sept mains.

Là-haut, la perspective est tout autre que sur le banc du cocher. L'altitude est semblable, mais la sensation, différente. Le cavalier fait corps avec l'animal, une symbiose devient possible. L'allant du cheval, le martèlement de ses sabots sur le sol se répercutent jusque dans les mouvements d'épine dorsale du cavalier qui roule du bassin au même rythme. Une continuité, une proximité des corps, une rencontre du cuir sur la peau qui n'est pas entravée par le bois, le fer, le métal, l'espace.

Cavalier et monture franchissent le pont au pas, puis se rendent au Saloon au trot. Billy noue les rênes autour de la boule du poteau, fait boire la jument dans l'abreuvoir en laiton. Elle aspire doucement, les yeux mi-clos, et les longs poils de sa barbe fine dansent dans l'eau.

Le palefrenier attend qu'elle ait terminé pour pousser les portes du bar.

~

Les cochers reconnaissent par la fenêtre la croupe pommelée de Maggie, mais remarquent surtout l'absence de calèche derrière elle et les vilaines cicatrices là où le bois des traits a usé le cuir de ses cuisses. La silhouette de Billy se détache dans le contre-jour, la poussière flotte, immobile comme une brume. Tous se taisent sur son passage ; on entend ses talons résonner sur les carreaux de céramique. Il s'assoit à la table des anciens, entre Georges et Joe, qui lui versent une chopine de pisse de cheval.

Il y a longtemps qu'un homme n'est venu à cheval au Saloon. Dan ne se souvient plus de la dernière fois que c'est arrivé. La mort de Paul, le conseil des cochers et maintenant un homme à cheval : autant de signes inquiétants qui prouvent que le visage de Griffintown a changé. La main du barman tremble, il tourne les yeux vers le buste de Boy, figure immuable, figée dans le temps, tandis que le sol semble se déliter sous ses pieds.

Le cheval fondateur

On raconte qu'avant l'arrivée du premier cheval, Griffintown était un village fantôme, une ville morte abandonnée à sa poussière de rouille, à ses spectres. Quand les sabots d'un animal de trait s'étaient enfoncés dans la terre battue au printemps, tout avait changé.

Originaire de la vallée beauceronne, Boy avait l'épaule rompue aux travaux de labour. À son arrivée à Griffintown, on lui faisait livrer de la glace et du lait. En ville, on reconnaissait à leur bruit ses sabots sertis de fers cloutés en hiver, déchaussés en été. Quand des enfants lui tendaient un sucre, les lèvres grises de Boy se déposaient précautionneusement sur leurs paumes et il engloutissait la gâterie d'un seul «gloup». Les petites mains se dirigeaient ensuite vers sa robe noisette, glissant sur l'épaule, caressant le flanc. Les hommes eurent un jour l'idée de construire une calèche pour le plaisir de la randonnée. Ils procédèrent dans les règles de l'art, l'assemblèrent à partir de bois sculpté, résistante et enjolivée, délicate à côté des grosses calèches en acier.

Après la Deuxième Guerre, d'autres chevaux vinrent rejoindre Boy à Griffintown, mais la belle époque de loisir et d'innocence fut de courte durée; tout bascula lorsque le business de la calèche devint lucratif et se transforma en porte d'entrée des marchandises prohibées qui transitaient par le port. Outre les poudres et les cachets, des fourrures, des défenses d'éléphant et des oiseaux exotiques passèrent entre les mains des cochers, qui abritaient aussi parfois des hommes en cavale sous leur banc: immigrants illégaux, repris de justice, condamnés à mort. Tout se monnayait. Un jour, un tigre fut même placé en pension dans un box.

La mafia italienne ne tarda pas à s'en mêler et s'imposa par l'usage de méthodes barbares. Pour ébranler l'homme, il fallait viser le cheval. Boy fut poignardé dans la nuit et mourut au bout de son sang, dans la paille rouge, l'aorte tailladée, les yeux rivés sur l'est. Mais le soleil ne vint jamais.

À ce moment s'ouvrit une brèche jamais endiguée, un passage vers les ténèbres dans lequel seule Laura Despatie, la mère de Paul, apprit à évoluer. Le sort de Griffintown et ses ramifications obscures reposaient depuis en grande partie entre ses mains et elle maîtrisait à peu près la situation. On l'appelait la Mère. Il y avait longtemps qu'on ne l'avait vue rôder dans les parages. Lorsqu'elle se pointait au Saloon, les cochers avaient intérêt à se tenir droits et à rester polis. C'était elle qui avait eu l'idée de faire empailler Boy et d'accrocher son buste au mur de l'Hôtel Saloon.

De son poste, Boy voyait tout, captait complaintes et confidences, connaissait dans le détail le récit des grandeurs et misères de la vie des cochers, qui parlaient toujours d'eux par le truchement de leur cheval. Ainsi, lorsque Dédé se plaignait de sa picouille qui boitait, c'était contre sa gueule de bois qu'il en avait. Et quand Lloyd traitait sa jument de charogne, c'était sa vie tout entière qu'il maudissait. Ses regrets, son mal-être et sa haine de lui-même étaient encapsulés dans ce mot, *charogne,* et c'était le nom qu'il avait donné à sa jument de course rapide et élancée, ce qu'il avait de plus précieux. De son perchoir, le «premier cheval de Norm» — c'était ce qui était indiqué sur la plaque — percevait la tendresse lovée dans l'injure.

Billy accepte son sort comme une fatalité. Un poids de plus sur ses épaules, la dernière chose dont il a besoin, mais il préfère assumer ce rôle que de voir l'écurie tomber entre les mains de quelqu'un comme Evan. Au moins, la question est réglée ; c'est déjà ça.

Il accepte la cigarette que lui tend l'Indien, remet sa casquette et salue les cochers. Maggie l'attend toujours, bloc de splendeur immobile. Derrière les eaux cendrées du canal et les collines roussies se déploie la ville, ses gratte-ciel, son agitation, un avion dans le ciel, l'éclosion des promesses du nouveau millénaire, la vie moderne qui bat tout autour avec force et fracas. Rien de tout cela n'est encore parvenu à l'ouest.

Billy allonge la ganse de l'étrier de sept ou huit trous pour s'en faire un marchepied. Il se met en selle et voit que plusieurs cochers, curieux, se sont approchés. Georges, Joe, l'Indien et Lloyd l'ont regardé monter, perplexes mais amusés. Ils sont debout devant la façade, fumant, toussant, crachant, enveloppés par la crasse de Griffintown, leurs yeux gris, leur peau tannée, leurs fringues déclinées dans un camaïeu sépia et leurs bottes à talons qui tapent le sable et la poussière, quatre canailles déguenillées soudain placées sous sa gouverne. Il les quitte promptement en pressant les flancs de Maggie.

Billy franchit les frontières pour aller jusqu'au quartier voisin se chercher de quoi manger. Il a envie d'un hamburger et se met en file dans la section «commandes à l'auto». Les passants le détaillent comme s'ils n'avaient jamais de leur existence croisé un cheval, comme si sa monture avait cinq pattes.

On l'observe avec insistance. Tout cela agace Billy au plus haut point.

En rentrant à Griffintown, il est envahi par une étrange impression. Pourtant, rien n'a changé. La porte rose, intacte, toujours close. Les vilaines cicatrices lézardant l'asphalte des rues. Le panier d'épicerie trônant à la cime d'une colline de débris métalliques. Les premières boules de pollen dansant dans la rue comme des âmes égarées, filant chacune de leur côté selon l'humeur du vent. Les avis de recherche semés un peu partout sur les poteaux de téléphone sont toujours en place. L'encre a pâli sous l'effet de la rosée et le papier s'est légèrement gondolé, mais on reconnaît au premier coup d'œil Paul qui rit de toutes ses dents sur le parvis d'une église. Rien n'a changé pendant la courte absence de Billy, et pourtant tout paraît différent. L'écho du bruit des fers sur une bouche d'égout rebondit contre la porte d'un entrepôt. L'air s'est refroidi comme au passage d'un fantôme. Billy songe qu'ils sont seuls au monde, sa jument et lui.

En s'approchant du château de tôle, il entend les chevaux affamés qui piaffent. L'heure du train est passée ; ils sont contrariés. Il desselle sa monture rapidement, la fait entrer dans son box, met une balle de foin dans la brouette, en coupe la corde et commence à nourrir les bêtes. Un nouveau cheval qu'il n'a pas eu le temps de nommer le mord à l'épaule, un autre a les yeux injectés de sang. Il pense que désormais, et pour toute la saison, en plus des chevaux, les cochers dépendront de lui. Et se souvient, à la vue du chat à trois pattes qui passe en vitesse avec un mulot dans la gueule, qu'il y a longtemps qu'il n'a rempli son bol. Le sort de Griffintown pèse lourd sur ses épaules.

Quand il a enfin terminé la distribution des rations d'avoine, Billy entre dans la cuisine pour boire un verre d'eau. C'est alors qu'il la voit, sur la table, droite et indemne, aucunement altérée par l'eau : la deuxième botte de Paul, plantée là comme une flèche.

Billy serre si fort les mâchoires qu'il se casse une dent.

LA CONQUÊTE

À travers les drames et les saynètes quotidiennes, le cœur de Griffintown s'est remis à battre.

Les nouveaux chevaux ont eu le temps de se familiariser avec le territoire, sa rumeur, ses pièges, ses grincements, ses exhalaisons, les voix des caléchiers. Peu de pieds-tendres ont su trouver un mentor, trois ou quatre ont persévéré, mais seule Marie se rendra vraisemblablement jusqu'au bout de l'été. Quant aux cochers, ils ont rejoint un animal aimé ou débourré un nouvel arrivant, puis repeint les coins d'ailes endommagés, huilé le cuir des harnachements, celui de leurs bottes et des montants de la bride, sablé le bois ébréché des traits. Hommes et chevaux ont fait tout leur possible pour entamer la saison du bon pied, le sabot alerte et bien chaussé. Même si la mort de Paul Despatie hante les cochers, il faut aller de l'avant et commencer à empiler le foin — c'est ce que Paul aurait souhaité. La Mouche a durci son emprise, volète autour de Lloyd et Gerry comme au-dessus d'un étalage de viande. Bêtement plantée sur la ligne d'horizon, la croix du mont Royal n'est d'aucun secours aux cochers indigents.

Lorsqu'il n'est pas flanqué de sa pupille, John erre dans le soir tombant, va boire une bière à l'écurie avec Billy, nouveau maître de céans. Ce dernier a désormais une monture à lui, un monde à faire tourner et un mort sur les bras. «À chaque cocher son cheval et une calèche; le cheptel est complet», se borne-t-il à répéter comme pour se rassurer lui-même. Mais dès que John le quitte, le palefrenier va s'asseoir en Indien sur le toit de sa roulotte, fume beaucoup, réfléchit, crache dans la poussière. Billy s'acharne à assembler les pièces d'un puzzle ambitieux auquel il manque encore trop de morceaux.

Mai passe, ses tourments demeurent.

~

Dans le Vieux-Montréal, tout en haut de la place Jacques-Cartier, assis sur sa chaise de parterre, le Rôdeur affiche un sourire malicieux : il vient d'arnaquer un touriste américain qui a eu le malheur de se pencher pour lui demander son chemin. Hop! Détachée la pochette sous sa bedaine proéminente. Le butin : une belle liasse de devises américaines, quelques cartes de crédit et trois passeports, de quoi se payer un steak, une bouteille de Jack et quelques cigarettes à plumes.

— Combien tu penses que ça vaut, un passeport américain? demande-t-il à Joe.

— Aucune idée. Va voir les gars de la Mouche dans le Vieux-Port pour ces affaires-là. Pis ramène-moi un café en remontant.

— Oui, chef!

Il dévale la côte à vélo par la petite rue perpendiculaire au palais de justice puis, après avoir tourné à droite pour se diriger vers le quai Alexandra, le Rôdeur croise John qui mène un nouveau cheval attelé au buggy jaune. Marie tient les rênes. Le commissionnaire se souvient qu'il a entendu des cochers potiner à leur propos. Il remarque aussi la présence de touristes dans la calèche, John a dû les faire monter en arrivant dans le Vieux et non pas au stand, ce qui est mal vu quand la saison bat son plein, mais acceptable pendant encore une semaine ou deux. En voyant passer le Rôdeur sur son vélo, John sourit, lance un «Hé, champion!» auquel ce dernier se contente de répliquer par un discret signe de tête. Il déteste qu'on l'appelle ainsi. L'ironie sous-entendue anéantit le peu de fierté qu'il lui reste. Il pique dans une ruelle de pavé humide en maudissant le cocher.

Le Rôdeur

La légende voulait qu'il ait cessé de se laver trois décennies auparavant. Il y avait longtemps qu'il ne se grattait plus, désormais protégé par une fine patine de crasse. Avec les années, celui qu'on surnommait aussi « le Vagabond » était devenu insensible aux nuits fraîches passées dans un box à l'écurie jusqu'à la fin du mois d'octobre, sous les ponts en novembre, puis Dieu sait où l'hiver venu. Lorsqu'il ouvrait la bouche, deux dents en or étincelaient furieusement au centre d'une rangée de chicots noircis par le tabac de contrebande. C'était là son unique possession.

Le Rôdeur avait, comme Alice, Lloyd et plusieurs autres, ses instants de détresse et d'égarement. Il disparaissait quelques jours après être passé voir Evan dans sa roulotte et rentrait au bout d'un moment, les traits tirés et sa veste, subtilisée à un employé de la voirie, revêtue à l'envers. « Le Rôdeur a la tête dans le cul », déclarait alors Billy, et le commissionnaire allait s'asseoir au stand, mais refusait de rendre service.

Si le Rôdeur était resté évasif lorsque John s'était risqué, un soir, à l'interroger sur son passé, c'était simplement parce qu'il s'était employé de toutes ses forces, toute sa vie durant, à l'oublier en s'abrutissant avec ce qui lui tombait sous la main, dans la narine et dans les veines.

Orphelin de Duplessis, le Rôdeur avait passé sa jeunesse en institution psychiatrique. Il avait cherché un temps refuge dans la folie, mais elle n'avait pas voulu de lui. Il s'était évadé de l'asile en pleine nuit par une fenêtre après une agression sexuelle. Comme Evan, le Rôdeur avait échappé à une institution qui l'avait presque anéanti. Tous deux étaient des hommes abîmés par leur passé mais survivants, nobles, à leur manière, d'avoir survécu. Ils avançaient dans la vie comme sur un chemin de croix, accablés, peinant à y arriver.

Le Rôdeur créchait à l'écurie depuis une bonne dizaine d'années, dans le box que lui réservaient Billy et Paul. L'hiver, quand l'haleine des chevaux ne suffisait plus à lui réchauffer les mains, on le voyait parfois chercher un peu de chaleur dans l'entrée des stations de métro et mendier aux alentours du square Viger. Parce qu'il avait perdu confiance dans le monde, le Rôdeur avait adopté l'anonymat. Ne pas avoir de nom connu ni d'identité sociale l'arrangeait. C'était pour lui un camouflage et, jusqu'à preuve du contraire, personne n'avait réussi à le retracer. Il vivait comme une perdrix au plumage fauve, picossant sa pitance dans les feuilles tombées : fondu dans son environnement.

Le virage brusque du Rôdeur et l'ombre de la bicyclette projetée devant Poney lui font accélérer la cadence. Marie tire modérément sur les rênes et rassure le cheval. Concentrée, en état d'alerte, elle a gagné beaucoup d'aplomb au cours des dernières semaines. John décide que c'est la dernière journée d'entraînement de Marie ; il en avisera Billy le soir même.

Le Rôdeur repasse devant le stand avec le café de Joe. John lui fait signe d'approcher. Il dépose l'argent de trois cafés dans la main du Rôdeur. « Tu en garderas un pour toi. »

— T'es généreux, observe Marie.

— Pas tant que ça, c'est pour avoir du bon service quand je vais lui demander d'aller me chercher à dîner. Tu vas voir qu'ici, y'a rien de gratuit. Chacun fait ses affaires et l'équilibre est maintenu, comme dans un écosystème, et c'est pour ça que je t'ai répondu non quand tu m'as demandé si je voulais que t'ailles me chercher quelque chose à boire. Va plutôt remplir la chaudière d'eau pour Poney si tu veux te rendre utile.

L'eau est beaucoup plus fraîche qu'à l'écurie. Poney lape doucement puis croque le sucre que lui tend sa nouvelle complice. Marie le gratte sous le cuir du harnais, à la hauteur du garrot. Il incline l'encolure et piaffe doucement de l'antérieur droit, souhaite qu'elle le gratte ainsi sur tout le corps — et elle le fera, plus tard, à l'écurie, avec une étrille au moment de dételer.

Sur le chemin du retour, John réitère ses conseils une dernière fois : «Parle des Indiens aux touristes européens, d'architecture et d'histoire aux Américains, pointe le magasin de costumes aux familles et rappelle aux rares Montréalais qui montent à bord la signification du "Je me souviens". Pique par les tronçons de ruelles lorsque c'est trop engorgé ailleurs, évite le plus possible les segments de la rue Saint-Paul en pavé uni — ravageur pour les sabots —, prends garde de rester prise dans la pente de la côte Bonsecours à un feu rouge, et si c'est sur le point d'arriver, pars au trot voire au galop, épargne ton cheval. Les stands devant la basilique et en bas de la place Jacques-Cartier sont le territoire des cochers expérimentés, tant que tu sauras pas reculer, évite-les et garde un profil bas. Si un touriste te tape sur les nerfs, tu le fais descendre, exactement comme Alice a fait avec toi, souviens-toi qu'il y a un seul maître à bord de la calèche : le cocher. Méfie-toi des camions qui transportent un baril de ciment pivotant ; certains chevaux, convaincus que le baril va leur rouler dessus, s'emballent lorsque les camions s'approchent d'eux. Évite de mettre ton fric dans le coffre arrière quand le Rôdeur surveille ta calèche, et quand tu sollicites les touristes, ça se fait entre le nez de ton cheval et le coffre de la calèche, ne dépasse pas les limites de ton territoire — comme chez les putes. Tiens-toi loin de la Mouche. De toute façon, tu dois pas être le genre de fille qui emprunte du fric à un *shylock*... Change la couche de ton cheval dès qu'il y a du crottin dedans, sinon les mouches arrivent et les cochers vont te tomber dessus. Et je ne parle même pas des résidents du quartier, qui nous haïssent presque autant que les chauffeurs de taxi. Ici, ta place, faut que tu la gagnes. T'auras pas à te rapporter à Billy. Si sa calèche et son cheval reviennent intacts, que tu *loades* un peu et que tu ramènes de l'argent à l'écurie, il te laissera tranquille. Ce sont les cochers entre eux qui régissent le milieu. En d'autres mots, si tu fais pas l'affaire, tu le sauras bien assez vite. Dernière chose : à la fin de la journée, garde ton fouet pas trop loin, comme je te l'ai enseigné. Un cocher rentre à l'écurie les poches pleines et ça se sait. »

Marie regarde les lèvres de John se tendre puis se relâcher, des lèvres qui disent des choses importantes et qu'elle n'entend plus qu'en sourdine. Ils n'appartiennent pas au même monde. John est plus vieux qu'elle d'au moins dix ans, mais quelque chose chez lui l'intrigue. Ce doit être l'assurance du mentor, ses manières à la fois tendres et bourrues, la chaleur, le cuir, l'air poudré d'or et de mirages qu'on respire à Griffintown. John, qui au départ ne voulait pas entraîner de nouveau cocher, se surprend à chercher à protéger Marie, à craindre pour elle. Elle est jolie, ça crève les yeux. Désirable même, mais trop jeune, trop belle, trop bien pour lui. Il est un cow-boy, un homme qui déloge les copeaux de bois d'entre ses orteils chaque soir après avoir retiré ses chaussettes. À la fin de l'été, ou avant, cette fille retournera dans son monde dont il ignore tout, elle ne va pas faire long feu à Griffintown, son passage au Far Ouest n'est probablement qu'une tocade. Et il y a chez elle quelque chose de puéril qui l'agace. Marie passe son temps à lui quêter des cigarettes et à poser des questions déplacées : Pourquoi Evan a des larmes tatouées sur les joues ? Pourquoi t'as laissé le licou sous la bride de Poney ? Quel est le ratio d'avoine dans la moulée ? Quelle langue parle Lloyd ? Ça n'arrête pas. Elle n'est pas au courant pour Paul Despatie, sans quoi elle ne l'aurait pas lâché d'une semelle. À la fin de la journée, John a hâte qu'elle remonte sur son vélo et qu'elle détale pour admirer son cul, puis avoir enfin la paix. Et le pire, c'est que le soir, quand il s'attable au Saloon devant un bock de pisse de cheval, ses pensées s'échappent vers Marie.

Mais bientôt tout cela prendra fin. Elle apprendra à voler de ses propres ailes, ils occuperont des stands différents. La cochère s'installera en haut de la place Jacques-Cartier avec les nouveaux caléchiers, lui tout en bas avec les habitués, ils se croiseront de temps en temps au hasard d'un tour, se salueront... John espère qu'elle sache se débrouiller, mais lorsqu'il la voit serrer témérairement les rênes entre ses genoux le temps de refaire son chignon alors que son cheval est toujours en mouvement, il en doute.

En rentrant à l'écurie, Poney souleve la lèvre supérieure et émet un léger hennissement dans une tonalité aiguë en guise de salutation à Marilyn, une nouvelle jument que Joe vient de dételer. Lorsque Poney sent la présence de cette femelle dans l'écurie, il est tout de suite attiré par son parfum excitant, bien distinct dans le remugle. Il aimerait être à côté d'elle dans l'alignement d'entre-deux, mais Rambo s'est immiscé entre eux. Cela l'a contrarié au point de donner un coup de sabot dans le pan de mur qui le sépare de son voisin. Il a alors aplati ses oreilles puis s'est ressaisi ; il aura tout l'été pour se rapprocher d'elle et s'enivrer de ses sécrétions affriolantes. Là, par exemple, Marilyn est debout, sans attelage, couverte d'écume, renversante de blondeur : offerte. Lorsqu'il passe derrière la jument, Poney en profite pour respirer la fleur entre ses cuisses.

~

Après avoir dételé son cheval, Marie monte sur son vélo et s'éloigne du château de tôle, le sourire aux lèvres en pensant à la tête que feront Poney, Rambo et Marilyn lorsqu'ils verront la gâterie qu'elle a préparée pour eux dans l'entre-deux : sur une galette de foin, la cochère a déposé les quartiers d'une pomme et les morceaux d'une belle carotte croquante, ajouté une dizaine de *peppermints* roses, jeté une poignée d'avoine et arrosé le tout de mélasse bien collante.

En se dirigeant vers l'est, elle repasse par la vieille ville pour observer les cochers du soir, qu'elle connaît moins. Devant la basilique, l'un d'eux, coiffé d'un chapeau melon et de lunettes grillagées que Kanye West a mises au goût du jour quelques années auparavant, est attelé à une calèche légère et à un cheval de course qui porte un haut-de-forme et des verres fumés lui aussi.

Alice est sur place et cherche quelque chose, du feu pour s'allumer une cigarette sans doute. Une cochère lui tend un briquet, il paraît apaisé. Puis, un

cheval attire l'attention de Marie : trapu, les proportions d'un petit buffle, une robe impossible, entre
cuisse-de-nymphe et un macaron au caramel, une
oscillation mouchetée qui s'étend sur tout le corps,
et ce cheval boit dans son blanc[1], détail qui la fait
craquer ; elle s'arrête un moment pour le toucher.

Au-delà de la rue Berri, le réel, prévisible, inodore.
En franchissant la frontière de l'est, elle a l'impression de tomber en bas d'une falaise. Dans sa tête
danse encore le souvenir du cheval atypique qu'elle
vient de croiser. Les détails de sa nouvelle vie de
cochère meublent ses pensées : le carton de mélasse
qui a coulé partout dans son sac à dos, les pneus de
son vélo qu'elle devrait gonfler, l'examen de
conduite de calèche dont la date approche, la voix
de John prodiguant des conseils. John qu'elle tient à
ne pas décevoir. Hors des frontières de Griffintown,
le temps semble s'être arrêté.

~

Champion a été le compagnon de Mignonne, la
Pégase mythique immaculée qui veille sur les chevaux de calèche et hante encore Alice. Le vieux hongre, un des rares chevaux de l'écurie à avoir trotté
dans la ville pendant l'âge d'or de la calèche, amorce
ce qui sera probablement sa dernière saison. Depuis
deux ou trois ans, il marche d'un pas traînant qui

---

1. Boire dans son blanc : cheval dont les naseaux et la bouche sont
blancs.

insupporte les cochers d'expérience. Pour atteindre la zone touristique avec Champion, il faut calculer au bas mot vingt minutes de plus qu'avec n'importe quel autre cheval, si bien que parfois, Paul vient le reconduire en pick-up jusqu'au stand afin de ménager un peu l'animal et la patience du caléchier. Il faut l'épargner et c'est pourquoi Billy a décidé que Champion passera l'été à se faire gaver de pommes par Marie, comme un papi gâteux confié aux bons soins d'une jolie infirmière.

On réserve aux vétérans comme Champion le box tout au fond de l'allée avec fenêtre donnant sur le ruisseau, beaucoup plus spacieux et aéré que les entre-deux. C'est le plus grand privilège accordé aux vieux chevaux.

~

— Viens, dit Billy à Marie en l'entraînant vers le box, j'ai un cheval à te présenter.

Elle l'examine attentivement en faisant glisser sa main sur le corps de Champion pour jauger le tempérament de l'animal et lui permettre de la sentir à son tour. Garrot un peu meurtri, vieilles cicatrices sur les cuisses (Marie sait quelle pommade appliquer pour ramener un peu de duvet sur le cuir malmené), de l'enflure à l'antérieur droit (rien qu'une bonne séance d'hydrothérapie ne pourra amenuiser, elle verra ensuite si l'application de bandages est nécessaire), les crins du haut de la queue ébouriffés (a-t-il reçu sa dose de vermifuge au printemps?), le poil terne (probablement toute cette poussière accumulée). Elle entreprend de le doucher, longuement, et l'eau grise libère une bête d'un beau alezan doré que Marie sèche doucement. Elle démêle sa crinière, laisse couler un peu de shampoing sur sa queue, masse doucement sa grosse épaule surdimensionnée, puis tresse ses crins, noue sur quelques mèches une petite gueule-de-lion. Et la touche finale : de la gelée de pétrole aux commissures des lèvres pour assouplir la bouche crevassée du hongre.

— C'est Champion, ça ? dit Billy, incrédule, en passant devant elle avec une brouette remplie de paille souillée.

Il comprend qu'il a pris la bonne décision : Marie se paye la traite et le vieux cheval sera dorloté tout l'été. Celui qui fait tourner le château de tôle doit trouver la meilleure association cheval-cocher-calèche, un casse-tête complexe et parfois hasardeux. Billy porte le regard sur la petite calèche de bois, la plus vieille, légère, peinte en noire.

— La Petite, prépare-toi, on va atteler Champion et ça va être ton examen.

— Pour le permis, tout de suite, comme ça ? C'est toi qui m'évalues ?

— Ben oui, c'est de même que ça marche ici.

Faire des huit en zigzaguant entre deux cônes sans les heurter dans un cul-de-sac désert non loin du ruisseau poisseux durant cinq minutes : c'est en cela que consiste l'examen de conduite.

~

Assise dans les bureaux de la SAAQ, Marie sourit en songeant à l'évaluation qui s'est révélée beaucoup moins ardue que prévu. Que le monde des calèches, dont elle se demande parfois si elle ne l'a pas rêvé, interfère avec une institution, en l'occurrence les bureaux gouvernementaux, l'amuse. L'odeur de ses bottes souillées rebute les gens assis autour d'elle, preuve tangible que tout cela est bien réel. Marie célèbre en elle-même le mariage de deux mondes qu'elle a longtemps crus inconciliables. Elle a trouvé des chevaux dans la ville. Une petite victoire, un exploit, un ravissement.

Après l'obtention du précieux document, qu'elle attache fièrement autour de son cou, la cochère confirmée remonte sur son vélo et refait le trajet vers l'ouest. John a dit qu'il restait une dernière étape à sa formation de cocher, un détail néanmoins important. Après, elle pourra entamer la saison en sachant tout ce qu'il y a à savoir sur le métier. Marie espère que ce ne soit pas une initiation. Elle souhaite très fort qu'on ne lui demande pas de boire l'eau croupie du canal. Les bulles qui remontent lentement des profondeurs la laissent perplexe.

Elle jette son vélo par terre sans même prendre la peine de le verrouiller. L'esprit occupé, Marie pénètre dans le garage à calèches. Deux chevaux noirs attendent bien sagement qu'on les attelle, mais John n'y est pas. Joe apparaît avec son air bête habituel et une grosse pince pour arracher Dieu sait quoi à Dieu sait qui. Elle lui fait un signe de tête sans rien attendre en retour, puis se dirige vers l'écurie.

John discute avec Billy dans l'allée ; il est question d'une situation qui les embête tous les deux. Ils parlent à voix basse, elle tend l'oreille et constate que John a perdu son flegme habituel :

— Ça n'a aucun bon sens, Bill. Ça fait des semaines qu'il est au frais. Paul mérite mieux que ça. Va falloir le sortir de là !

— Pour le mettre où ?

La nouvelle cochère a compris qu'avec les hommes de chevaux, les éclaircissements ne viennent pas sur commande ; il faut avancer dans la pénombre patiemment. Marie a aussi remarqué que lorsqu'elle tait ses questions, les réponses viennent d'elles-mêmes.

John semble légèrement décontenancé lorsqu'il la voit apparaître au bout de l'allée.

— Bon, on y va ? propose-t-il.

Elle ne se donne même pas la peine de demander où, mais s'étonne quand même du fait qu'ils s'y rendent à pied, sans cheval ni calèche.

Ainsi descendus de leur banc de cocher, John et Marie sont à découvert et beaucoup plus vulnérables.

Ils s'engouffrent dans la nuit humide de Griffintown.

~

À l'Hôtel Saloon, Joe est assis seul au comptoir, Lloyd joue au vidéopoker, trois cochers sirotent une bière à la table des habitués, dont Gerry, celui qui conduit le cheval moucheté au stand de la basilique. Alice semble avoir sniffé, gobé ou fumé quelque chose de trop puissant; il se rend aux toilettes toutes les quinze minutes en sacrant. Quelques clients du quartier complètent le tableau, une vingtaine de personnes au total. L'entrée de Marie et John provoque une petite commotion. Les vieux cochers sont tiraillés entre la joie que leur procure le spectacle d'une créature et l'agacement qu'engendre l'arrivée d'une néophyte dans leur environnement. John a prévenu Marie: «Fais comme si de rien n'était. Au début ils vont rechigner, mais ils vont finir par s'habituer.» Un conseil qu'elle s'empresse d'ignorer. «Salut, les boys! lance-t-elle lorsque les regards se tournent dans sa direction. J'ai mon permis!» Une réaction si inattendue et contraire aux usages que les cochers ne savent comment réagir. Derrière son comptoir, Dan dépose son linge à vaisselle pour observer la scène.

— Tu me donnes chaud, chuchote John à l'oreille de Marie.

— Je te demande pardon?!

John regrette aussitôt son choix de mots et tente de retrouver sa contenance.

— Je t'avais dit de la jouer *low profile*… mais c'est pas grave, ils ont eu l'air de trouver ça *cute*. T'as du cran et du charisme, ça nuira pas quand viendra le temps de *loader*.

Dan arrive aussitôt avec deux verres de bière.

— Pisse de cheval, annonce-t-il. Gratuit pour la petite dame, cadeau de la maison.

L'alcool humecte les palais, lave les pensées, dissout l'aigreur et adoucit l'humeur. Ce soir à l'Hôtel Saloon, on y noie toutes sortes de choses : la mort de Paul, le fait que son assassin court toujours, le stress des dernières semaines, les appréhensions qui accompagnent le début d'une saison, le poids des dettes accumulées, l'emprise du *shylock*, l'impression d'être seul, coriace au point de s'en être racorni, le regret d'avoir laissé passer sa chance il y a de cela trop longtemps pour espérer la rattraper… Ainsi délestés, les cochers se transforment en personnages truculents ; c'est dans ces moments-là qu'ils incarnent le mieux leur légende. Tout ça sous l'œil éteint de Boy, rappel impitoyable du lendemain.

Marie a la bonne idée de payer une tournée aux cochers. Cette confrérie, qui semblait impénétrable un mois plus tôt, lui tend la main. Elle a quitté la périphérie. Elle se sait désormais des leurs. Elle s'immobilise devant le buste de Boy et l'imagine arpentant les rues de Griffintown.

— Dans ce temps-là, les calèches servaient pas juste à promener des gros Américains qui s'endurent plus. Les chevaux livraient des affaires chez le monde, précise Dan.

— Ah bon. Est-ce qu'ils étaient plus heureux dans le temps ?

— Ça, je saurais pas dire, mais ils étaient utiles, nécessaires même, pas seulement décoratifs.

— Il est mort de quoi, ce cheval-là ? s'enquiert-elle, intriguée.

— Au bout de son sang après qu'un sauvage lui ait ouvert le torse au couteau.

Les pensées de Marie s'embrouillent, elle sent le sol se dérober sous ses bottes, les paroles des cochers se distendre, puis elle s'évanouit.

~

Lorsque Marie retrouve ses esprits, John est penché au-dessus d'elle et lui parle doucement mais fermement, sur le ton qu'il emploie pour apaiser les chevaux. Il propose d'appeler un taxi, mais une fois remise de ses émotions, Marie se rend à l'écurie pour s'assurer que Champion a tout ce dont il a besoin.

Demain sera sa première journée de cochère diplômée et elle veut que son cheval soit en forme.

Dans son box, Champion, fourbu, allongé sur le flanc, dort si profondément qu'il en ronfle. Marie l'imagine poulain, menue créature aux crins duveteux réfugiée dans le flanc de son immense mère belge aux pis gorgés. C'est lorsque les chevaux s'étendent sur le sol pour écouter les vérités emprisonnées dans la terre que Marie entrevoit ce qu'ils ont été avant d'échouer à Griffintown.

Profitant de l'inattention de John qui, dans le garage à calèches, fouille sous son banc de cocher pour trouver des allumettes, Marie part à la recherche d'une galette de foin pour que Champion ait de quoi se sustenter dès le réveil. Elle sait à peu près où les balles sont entreposées, mais dans le noir, comme ça, elle n'y voit pas grand-chose. Elle repère une porte au bout des entre-deux dans l'allée, tend la main pour l'ouvrir, touche quelque chose de tiède : une main.

— Qui c'est ? aboie une voix d'homme.

Réfugié dans le *shack* où il dort d'un œil assis sur une chaise, le Rôdeur allume son briquet pour voir qui ose troubler son sommeil :

— Oh ! dit Marie, interloquée. Je savais pas que tu... Qu'est-ce que tu fais là au juste ?

— Je dors, calvaire, ça se voit pas ? Ferme la porte pis *scrame*.

En repassant dans l'écurie, elle hume le souffle moite et familier des bêtes. Entendre respirer les chevaux et sentir le fumet sucré qu'ils émettent dans leur sommeil, cette fine sudation à peine visible, comme la rosée, tout ça la réconforte ; elle aime la présence des chevaux endormis. Dans le garage, Marie constate qu'un homme somnole sur les coussins d'un banc de calèche par terre, un cocher qu'elle ne connaît pas. John n'est pas dans les parages, elle trouve étrange qu'il l'ait abandonnée en pleine nuit. Il se fait tard, l'aube ne tardera pas. Marie récupère son vélo dans le buisson épineux et aborde la chaîne de trottoir comme une cavalière un obstacle, un réflexe dont elle ne s'est jamais départie.

Soudain elle entend crier son nom, puis les pas d'un homme qui avance vers elle dans la nuit. Marie reconnaît la silhouette de John.

— Je pensais que tu m'avais abandonnée là !

— C'est dangereux, Griffintown, à cette heure-ci, observe John. Il est tard, je vais te raccompagner.

L'aube complice projette sa lumière laiteuse devant eux, guidant leurs pas. Il n'y a plus âme qui vive dans la vieille ville. Ils longent le canal de Lachine et la rue de la Commune, puis John quitte Marie aux confins du territoire. Elle lui adresse un sourire indéchiffrable avant de remonter sur son vélo et de filer à toute allure sur la piste cyclable de la rue Berri. Le cow-boy désœuvré, sans monture, reste immobile un long moment à regarder Marie disparaître, avant de repartir vers le village fantôme dont les rues sont à cette heure arpentées par les sabots muets de chevaux de brume.

~

Déjà l'aube. Couché sur l'édredon fleuri d'un étroit grabat dans sa roulotte, Billy n'arrive plus à se rendormir. Il se lève, enfile son jean, passe une chemise, monte sur son lit et décroche le crucifix, vendu à Paul Despatie avec la roulotte. Il sort et le lance dans les eaux mélasseuses du ruisseau, puis rentre préparer du café. Sur le mur cabossé de la roulotte persiste le spectre acharné d'une croix pâle. Et sur le petit paillasson près de l'entrée, les bottes de Paul — celle qui a pris l'eau et la deuxième, flambant neuve, déposée sur la table de la cuisine par un visiteur importun. Billy les considère longuement, puis se tourne vers le portrait de sa mère et enfin vers l'horloge.

Bientôt cinq heures du matin ; Grande Folle ne tardera pas.

Nul à l'ouest ne sait comment la vieille putain transsexuelle a abouti à Griffintown. Peu importe, elle fait maintenant partie du décor et ce, depuis sept ans. Grande Folle vient laver les calèches à l'heure du coq, ce qui arrange tout le monde. Elle est de retour chaque année avec l'air d'en avoir pris cinq, apparition attendue au début du mois de juin lorsque la saison prend son envol et qu'une rumeur d'abondance flotte encore dans l'air tiède. Lorsqu'elle quitte l'écurie au petit matin, vulnérable et vannée, Grande Folle confond les chauves-souris et les oiseaux-mouches dans la lumière indécise de l'aube.

Le palefrenier n'a pas réussi à refermer l'œil après l'épisode du crucifix. L'enquête n'avance pas ; Billy fait du surplace, piaffant sur le toit de sa roulotte, obsédé par le corps de Paul plié, tordu et frigorifié. Et maintenant il a envie d'aller à cheval. Cinq heures trente du matin : le seul moment de la journée où chevaux et cochers le laissent tranquille. Billy pose le regard sur la ligne d'horizon. Puis il fait quelque chose d'inexplicable : il enfile les bottes de Paul Despatie et se dirige vers l'écurie.

Il caresse le flanc de sa jument pendant qu'elle termine sa ration d'avoine, la selle et la mène à travers les rues endormies pour vérifier l'ajustement de ses nouveaux fers. Malgré l'heure matinale, la jument semble bien disposée, placide et calme, fidèle au tempérament de sa race. Il regarde en direction des nuages : douces traînées de brume sur un ciel se déclinant de pastel à plombé. La lumière provient du sud-est, comme si elle tirait sa vigueur des néons de l'entrepôt Costco, et naissait d'un coin de la ville que Billy connaît trop bien.

Le dernier Irlandais

La légende voulait que sous le grand magasin à rayons aient subsisté les traces d'un ancien village irlandais, rasé l'année de sa naissance, en 1964. Billy connaissait par cœur les récits d'infortune, les souvenirs de pommes de terre et de ragoût de pigeon que ce coin de la ville éveillait.

Quelques années auparavant, ils avaient été plusieurs Irlandais sur la calèche. Puis Scott avait déménagé aux États-Unis, Andrew avait été mis à l'ombre, Jimmy s'était fait camionneur et Leo Leonard avait vendu ses derniers chevaux. Jusqu'à tout récemment, une fois par saison, généralement en août, lorsqu'il faisait chaud et qu'ils s'étaient enivrés, Scott, Andrew, Jimmy et lui attelaient un cheval et descendaient à Goose Village pour se recueillir à leur manière au pied de la pierre noire, non loin du pont Victoria. Billy n'y avait pas remis les pieds depuis deux ou trois ans. Depuis que ses compatriotes avaient disparu et qu'il s'était vu condamné à porter seul, à bout de bras, le poids de ses origines.

À Windmill Point, non loin de la vieille gare, quatre ou cinq mille Irlandais avaient été placés en quarantaine au mitan du dix-neuvième siècle en raison d'une épidémie de typhus. Les ancêtres de Billy étaient presque tous tombés sous les foudres de la maladie, sauf une lignée peu prolifique dont il était le dernier descendant.

Sur son lit de mort, sa mère Jane lui avait fait promettre d'honorer ses ancêtres, spectres étouffés sous l'asphalte d'un stationnement érigé sur la fosse où avaient été jetés tous les morts du typhus. Pour le dernier Irlandais de Goose Village, cet héritage miséreux était devenu trop encombrant.

Tout ce qui subsistait d'irlandais aujourd'hui se résumait à une planche blanche décorée de trèfles rapportée d'une fête de la Saint-Patrick et clouée dans l'écurie pour éviter que le plafond du box de Champion ne s'effondre. Il y a aussi cette vieille photo en noir et blanc de Jane, les yeux graves, suspendue dans la roulotte. Jane qui, vers la fin, ne croyait plus en rien et, se sachant condamnée, avait demandé à son fils de décrocher toutes les croix de la maison, de les brûler. Elle avait exigé qu'on l'enterre à l'écart sous une pierre sans épitaphe, anonyme, comme elle avait traversé toutes ces années. «Je suis une simple passagère», avait-elle murmuré à l'oreille de Billy, déjà orphelin de père. Tels avaient été ses derniers mots, dictés en une formule difficile à décrypter. Billy avait seize ans.

100

Le dernier Irlandais regrette d'être retourné à Goose Village. Pendant qu'il écoutait les fantômes de ses ancêtres lui souffler à l'oreille qu'il doit leur payer un tribut, deux vautours ont franchi les limites de Griffintown. Les hommes en complets noirs s'intéressent peu à leur environnement immédiat. Dos à l'écurie, face à un mur de tôle ondulée, ils discutent en faisant avec les bras de grands gestes qui suggèrent des constructions en hauteur, le déploiement de quelque chose sur un terrain vaste et dégagé. Leur aplomb, leurs sourires rapaces et la Mercedes garée non loin de là laissent croire que ces deux hommes vont généralement où ils veulent, vite et en ligne droite, qu'ils appartiennent à une race qui ne vient généralement pas jusqu'à Griffintown.

Après une poignée de main vigoureuse, Ceux de la ville regagnent leur véhicule et repartent.

Quelqu'un a vidé la bouteille de vodka qu'il laisse dans le congélateur du frigo ; c'est tout ce que Billy remarque à son retour. Une lumière timide éclaire soudainement ses pensées embrouillées, il a une intuition : Evan, ça ne peut être que lui. Pour la vodka. Et pour Paul. Il a un double des clefs du camion du patron, réfléchit Billy en ne sachant pas très bien où cette piste mène. Depuis son retour d'Afghanistan, Evan n'est plus le même.

L'homme qui avait croisé un Windigo

À une époque pas si lointaine, dans les années quatre-vingt, quand tout allait bien pour Paul et que les cochers rentraient chaque soir à l'écurie avec au moins trois ou quatre cloches[1], même les jours de semaine, Evan avait endossé la figure du cocher-étoile, bien avant Georges Prince. Il avait une gueule d'acteur d'Hollywood et beaucoup de *sex-appeal*. Les affaires allaient rondement pour Paul qui, à l'époque, lui confiait ses meilleurs chevaux. Evan était tombé amoureux de Kim, ancienne danseuse un quart catin qui continuait de faire le trottoir quand la journée de calèche n'avait pas été assez payante à son goût. Une splendeur de fille avec qui Evan avait eu un fils. La naissance du garçon sonna la fin du grand pow-wow perpétuel qu'avait été la vie d'Evan depuis qu'il avait commencé à boire, c'est-à-dire à neuf ans.

Il décida de se prendre en main, de faire un homme de lui et de remettre de l'ordre dans sa vie, mais il n'y avait pas grand-chose à l'horizon pour un marginal de son espèce. Evan voulait agir vite ; il s'engagea dans les Forces canadiennes.

---

1. Une cloche = cent dollars.

Kim et lui s'absentèrent du monde de la calèche pendant quelques années. Elle ne revint jamais à Griffintown. Lui le fit en claudiquant, les traits tirés, voûté et obscurci, trop abîmé pour redevenir cocher, mais trop fier pour se faire palefrenier. À tous ceux qui osaient lui demander ce qui s'était passé pendant ses années d'absence, Evan répondait, le regard vide, qu'il avait croisé un Windigo dans le désert et qu'il ne voulait pas en parler.

Il devint alors l'assistant de Paul, celui qui venait reconduire des chevaux à l'écurie avec la semi-remorque et qui, à la fin de chaque été, se chargeait d'aller les mener là où on ferait d'eux de la colle, celui qui noyait les chats dans le ruisseau, celui qui pleurait éternellement des larmes d'encre noire. Depuis sa rencontre avec le Windigo, Evan avait les mains tachées de sang et le visage tatoué de larmes.

Un jour, alors qu'il était ivre, il parla à Paul de la guerre en Afghanistan. Il lui avoua qu'en compagnie de quelques fantassins, il avait joué au football dans un champ avec la tête d'un vieux paysan mort et que sur le coup, ça lui avait fait du bien, même que ça l'avait fait rire. Après, il n'avait plus été le même homme. Il ne raconta pas à Paul qu'il avait tué des civils et des enfants, violé une femme, tout ça sous les ordres du Windigo. C'est l'histoire qu'il avait déballée au lieutenant. Il fut démobilisé et revint donc à Griffintown.

En peu de temps, la roulotte d'Evan se transforma en *crack house* et ce fut le début de la fin pour plusieurs hommes de chevaux qui croyaient avoir triomphé de leurs anciens vices. Chaque matin, alors qu'elle venait laver les calèches à grande eau, Grande Folle apportait dans sa sacoche de quoi alimenter le commerce d'Evan. La plupart des cochers qui succombaient arrivaient à reprendre le dessus, mais certains — dont Ray, le meilleur ami de Billy — n'eurent pas cette force. La tentation était grande, et surtout, elle était là, à deux pas. Il suffisait d'étendre le bras, de ne pas détourner le regard, de dire «oui, je le veux» et de piger quelques billets dans son enveloppe pour renouer avec toute cette électricité et ainsi sentir se déposer sur son front la grande aile noire de l'indulgence. Chaque été, comme une mauvaise herbe indélogeable, Celui qui avait croisé un Windigo revenait semer le chaos, entraînant dans sa chute les âmes fragilisées.

Billy considère désormais Evan comme son suspect numéro un. D'ailleurs, il y a quelques jours qu'il ne l'a pas croisé. Il a d'abord conclu qu'une fois Paul parti, les petits boulots de *helper* se faisant plus rares, Evan s'était demandé à quoi bon s'éterniser et avait lui aussi décidé de lever les pattes. Le palefrenier est bien content de ne plus avoir à cohabiter avec Evan, à supporter ses mauvaises vibrations et sa roulotte garée n'importe comment qui compliquait l'accès à la douche des chevaux.

Depuis son retour d'Afghanistan, Evan a perdu sa faculté d'empathie, d'abord envers les bêtes, puis vis-à-vis de ses semblables. L'ancien cocher agit comme si la vie avait une dette envers lui, cultive le trouble et la rancœur comme d'autres un champ fertile. Il a toujours eu soif de pouvoir, ruminé, insatisfait, colérique, dans le sillage de Paul. S'il était cheval, on dirait d'Evan qu'il n'a pas un bon œil. Il pourrait, dans un délire mégalomane, avoir liquidé le patron pour prendre sa place. Oui, c'est une possibilité, conclut Billy.

Et c'est alors qu'il aperçoit Ray, ou plutôt son fantôme, là où il le trouvait parfois, assis sur sa poutre dans le garage à calèches, les jambes pendant dans le vide, privé de ses bottes. Ray ne sourit pas. Son regard aussi profond qu'un gouffre irradit une lumière hypnotique qui, étrangement, apaise Billy. Après tout, Evan a déjà au moins un mort sur la conscience.

Ray le pendu

Un soir, il y avait de cela quatre ans, bien après le départ des cochers du quart de soir, Ray avait forcé la petite caisse, élargi la trappe à l'aide d'un cure-pied et d'une écumoire afin d'y passer le bras pour récupérer les enveloppes bourrées d'argent destinées à Paul. Junkie d'une nuit, Ray les avait toutes décachetées dans le but de prolonger l'euphorie, plus forte que sa volonté. Lorsqu'au petit matin il n'en était plus resté aucune, il avait eu l'impression de n'avoir jamais été aussi lucide, d'enfin comprendre la grande marche du monde et surtout la sienne, qui allait tout croche, qui reculait en trébuchant. Il avait eu le sentiment clair qu'il n'y aurait pas d'issue, que rembourser le contenu des enveloppes n'allait pas être possible et, n'ayant plus la force de résister, de fuir ni de combattre, Ray avait décidé que le moment était venu d'en finir.

Comme chaque matin, Billy avait mis le pied à l'écurie en passant par le garage à calèches. Il s'en souvenait comme si c'était la veille : le grand corps immobile pendu au bout d'une corde et ses bottes de cow-boy tombées par terre. Il avait fait descendre le corps de son ami, lui avait remis ses bottes, et l'avait abrillé comme un enfant fiévreux d'une de ces couvertures de laine piquées de

106

punaises que les cochers avaient l'habitude de ranger dans le coffre de la calèche en prévision des soirées plus fraîches de fin de saison.

Avec le temps, l'écurie devient un champ miné de souvenirs : la poutre où Ray s'est pendu, l'ancien entre-deux de Mignonne, le chapeau d'un collègue retrouvé dans une case après des années, les vieilles photos cornées dans le hangar aux harnais, le nom d'un ancien cheval noté sur un paquet de cigarettes retrouvé au fond d'un coffre, les égratignures sur une calèche repeinte en rouge qui laissent entrevoir qu'elle a déjà été brune, le souvenir ainsi ravivé d'un été où il a beaucoup plu...

À Griffintown, les fantômes errent, plus nombreux que les anges.

Dans un gratte-ciel du centre-ville érigé en périphérie du Far Ouest, Ceux de la ville réunionnent autour
d'une maquette du Projet Griffintown 2.0. Sur le site
de l'écurie, là où s'emmêlent en rampant, façon jardin
anglais, chardons, gueules-de-loup et fleurs de trèfle,
s'élèvera une agglomération de « chalets urbains de
luxe » avec vue sur le canal de Lachine.

Ce complexe immobilier taillé dans la brique
rouge se prolongera en plusieurs petites unités plantées là où se dresse l'actuel château de tôle, sur le
tapis de pierraille, le repaire du chat à trois pattes,
dans la zone où s'accumulent les osselets d'oiseaux
qu'il a dévorés, près de la roulotte de Billy. Sur les
sépultures de Ray et de Mignonne, on envisage la
construction d'une pharmacie, d'une épicerie fine et
d'un salon-boutique spécialisé dans le thé. Dans le
ruisseau trouble où Paul et des dizaines de chatons
ont été engloutis coulera une eau claire, de la

couleur des miroirs. À la surface de la maquette, quelques nénuphars flottent et, avec un peu d'imagination, on peut les voir onduler, doucement, sous une brise favorable.

Ceux de la ville ont de grandes visées pour le quartier. Ils y voient un village à peupler, un territoire à conquérir et à occuper. Il faudra faire en sorte que le métro se rende un jour jusqu'à Griffintown pour que de nouveaux commerçants aient envie d'aller s'y installer. Cochers, chevaux, calèches et miasme ne font pas partie du plan, ni du décor. On attend de ces cow-boys crasseux qu'ils capitulent. Ils appartiennent de toute façon à un âge révolu et vont devoir se replier. Sans quoi d'autres mesures seront envisagées.

Angle Murray et Ottawa, dans l'ancien Horse Palace de Leo Leonard, là où paissaient d'autres chevaux de trait jusqu'à tout récemment, une petite boule de feuillage a pris forme autour d'une racine de trèfle exhumée. En roulant ainsi ballottée, elle a fini par accrocher ce qui traînait autour de léger et de friable : brins d'une vieille herbe jaunie, boutons de fleurs séchées, cheveux blancs et crins fourchus, de la corne réduite en poudre et même un peu de moelle, emmêlés au sable gris, aux racinettes de pissenlits, nervures de feuilles datant d'automnes révolus, germes de sainfoin, bouts de ficelle et de corde rêche, pollen et rouille effritée, duvet de moineau. La boule prend de l'expansion, de plus en plus bouffante et ventrue, virevolte sur l'asphalte en direction de la rue des Seigneurs, comme une petite âme en proie à l'affolement.

~

Marie observe sur le mur d'un entrepôt l'ombre que jette sa calèche. Sa posture et ses réflexes d'ancienne cavalière sont demeurés intacts : le dos bien droit, concentrée sur la direction à suivre, une juste tension dans les rênes, pleinement investie dans une communication main-rênes-bouche avec l'animal. Mais au bout d'une ou deux minutes de ce régime, elle mesure le ridicule de la situation. Champion connaît le chemin bien mieux qu'elle. Le dos raide, le sourire feint, rien de tout cela n'est nécessaire. De toute façon, à cette heure matinale, ce segment du Far Ouest est désert. On n'est pas dans un concours hippique ; il n'y a aucun juge à contenter.

Passé la rue McGill, on sort complètement du Far Ouest pour arriver en plein centre-ville. Dans ce quartier, le ciel n'est plus bleu délavé comme à Griffintown, mais plutôt gris-mauve en raison du smog estival.

Dès que le feu de circulation vire au vert, Champion reprend le pas, s'engage, paisible, aucunement inquiété par le trafic, sur l'artère passante jusqu'à Notre-Dame. C'est là que les choses se corsent pour la cochère et le vieux cheval. Sur l'une des deux voies, un camion et des employés de la Ville. Sur la seconde, une large plaque de métal recouvrant le nid-de-poule que des employés de la voirie se préparent à combler. Marie envisage de faire demi-tour, mais ils lui font signe de passer. Alors elle mène

Champion vers la plaque, pas le choix, il faudra marcher dessus pour se rendre au stand.

Aussitôt qu'il sent le métal de sa chaussure toucher celui posé au sol, Champion prend peur et se met à galoper. Il file vers l'est à toute allure. L'aile de la calèche égratigne au passage plusieurs voitures garées du côté nord de la rue Notre-Dame et, sous l'effet de la vitesse, les élastiques fixés autour des pneus de la calèche cèdent. Marie tente en vain de retenir le cheval, puis Champion s'immobilise de lui-même quelques mètres plus loin en face de la basilique, devant les badauds ébahis. Le cœur du cheval et celui de Marie battent comme deux pompes surmenées.

La cochère saute à terre et examine Champion essoufflé, nerveux, haletant, les naseaux dilatés. Elle passe une main mal assurée sur le flanc de l'animal, en murmurant des paroles douces, longe la cuisse jusqu'au jarret. Il n'y a aucune blessure visible sur son corps, heureusement. Marie va remplir une chaudière d'eau et pendant que Champion lape avidement, elle appelle Billy pour lui annoncer la mauvaise nouvelle en songeant que c'est son premier jour comme cochère et probablement son dernier. Elle n'a même pas fait monter un seul client à bord et sera obligée de laisser les rênes à quelqu'un d'autre. Elle se souvient d'avoir entendu John, comme plusieurs autres cochers, pester contre la construction. La construction et la pluie : deux fléaux. Marie ne comprend pas bien ce qui s'est passé. Ce vieux canasson censé être le meilleur ami de tous les cochers débutants, ce belge que l'on disait si doux et imperturbable s'est emballé à la première occasion.

Elle en veut à Champion d'être ainsi sorti de sa torpeur de vétéran sans crier gare, en veut aux employés de la Ville et à l'hiver qui troue ainsi les rues, elle en veut à John et à Billy de ne pas l'avoir prévenue du danger, en veut au Rôdeur qui s'est payé sa tête en exigeant cinq dollars pour surveiller son cheval le temps qu'elle aille récupérer l'élastique à pneu plus loin sur Notre-Dame. Ses années d'équitation, tous les étés de son adolescence passés sur le dos d'un cheval ne lui sont d'aucune utilité à bord d'une calèche ; Marie s'en veut d'avoir d'abord été convaincue du contraire. Plus que tout, elle s'en veut d'avoir été si naïve. Elle regarde sa main et s'aperçoit qu'elle tremble. Soudain, Marie doute.

Elle comprend qu'elle tient entre ses mains une grenade. C'est un travail dangereux, John a passé son temps à le lui répéter et maintenant elle en prend la mesure. Elle aurait su rattraper l'animal si elle avait été sur son dos, aurait réussi à le contrôler par le positionnement des jambes et de l'assiette, par un jeu de rênes plus courtes aussi. Mais lorsqu'on est derrière, ça complique tout. Elle se rappelle l'histoire impossible qu'un cocher, Joe, lui a racontée : la fois où, des années auparavant, son cheval, attelé à une calèche, a sauté par-dessus une BMW. Marie n'a pas voulu connaître la fin de l'histoire. Et puis les cochers ont une forte tendance à l'exagération, elle le sait bien. Marie pense à John, qui a consacré plusieurs semaines à lui apprendre le métier. À l'autre bout du fil, le téléphone sonne, sonne ; Billy finit enfin par répondre. «Billy, faut que tu viennes, y'a un problème.» Quinze minutes plus tard, elle l'aperçoit au loin, monté sur Maggie qui vient au trot.

Billy grimace à la vue de la rangée de voitures endommagées et comprend, en menant précautionneusement sa monture sur la plaque de métal, ce qui s'est passé. Le Rôdeur court le rejoindre.

— La Petite s'est payé toute une *ride*!

— Tabarnance, la Petite! dit Billy.

— Je sais. Tu peux me renvoyer, je vais comprendre.

Billy s'approche de Champion et l'examine. En état de choc, mais aucune blessure apparente. Le palefrenier se masse le front; il paraît découragé.

— C'est pas de ta faute, annonce-t-il. Champion a la phobie des plaques. Aussitôt qu'il pose un fer sur du métal, dès qu'il sent que ça patine un peu, que ça fait «clow clow», il vire à moitié fou, cet animal-là. J'ai oublié de te le dire, tu pouvais pas savoir.

Billy remet les élastiques autour des pneus et renvoie Marie à l'écurie en lui indiquant un parcours sans plaques de métal.

— C'est tout pour aujourd'hui. Mais tu rentres demain comme prévu.

Billy glisse des cartes d'affaires sous les essuie-glaces des voitures aux flancs égratignés, note les numéros des plaques d'immatriculation et regagne

Griffintown. Il n'y a personne pour garder le château de tôle en son absence et cela l'inquiète. Sur le chemin du retour, il remarque que la pluie et le soleil, le vent et le temps qui passe ont presque effacé ses avis de recherche, toujours agrafés aux poteaux.

Sachant qu'il arrivera bien avant Marie, il se permet un petit détour près du chantier de construction aménagé derrière le Horse Palace. Au milieu des échafaudages, l'écurie de Leo Leonard résiste tant bien que mal, comme ballottée par la tempête. Désormais, des collines de pierraille et de brique l'encerclent. Le vieil Irlandais l'a mise en vente il y a quelques années après s'être départi de ses derniers chevaux, mais il en demande un si fort prix qu'elle reste sur le marché, courtisée par un groupe de défense du patrimoine.

À quelques foulées de là, Billy remarque un nouvel emplacement où l'on a commencé à ériger des condominiums. Pour s'y rendre, il pique par un stationnement laissé à l'abandon. Et c'est alors qu'il voit le camion de Paul — du moins ce qu'il en reste. Noirci, brûlé, recouvert de graffitis. Les fenêtres ont volé en éclats. Billy fait glisser son doigt sur la carrosserie. De la suie, sèche et crayeuse. À l'arrière du camion, le dernier des Irlandais reconnaît la caisse de mors rompus que Paul a emportée en le quittant. Il donne un grand coup de pied dans la portière. Puis il pousse un hurlement de coyote abandonné par sa meute. Son cheval fait trois pas de côté.

~

En fin d'après-midi, lorsque John met le pied à l'écurie, il compte les calèches au mur et remarque que celle de Marie en est. Il cherche du feu dans ses poches, en vain, retrouve son briquet sous le banc du cocher et prend place à l'arrière de sa calèche.

Tranquillement, l'activité reprend avec l'arrivée des cochers du soir. Lloyd attelle sa charogne en marmonnant, Chris étrille un mastodonte de dix-huit mains, Alice s'acharne sur la vieille radio qui grésille, le matou à trois pattes passe avec un pigeon dans la gueule... La routine, à un détail près : Billy manque à l'appel.

De retour du Vieux-Montréal après sa journée, Georges Prince repère un espace étroit entre le buggy jaune de John et un *horse killer*[1] blanc. Il s'y gare sans même descendre de la calèche, avec grâce et doigté, une entreprise délicate, signe indéniable de nombreuses années d'expérience. John admire la technique et la précision du geste.

— Pis, Georges, ça *loade*-tu un peu dans le Vieux ?

— Deux cloches. Ça démarre tranquillement... La Petite nous a galopé ça *full pine* sur Notre-Dame, t'es au courant, j'imagine ?

— Quoi ?

---

1. Calèche lourde.

— Ben oui, un beau gâchis, la calèche s'est accotée sur toutes les voitures stationnées à gauche. La Petite les a toutes égratignées les unes après les autres jusqu'au coin de la rue. Tu demanderas au Rôdeur, il était là pis il demande pas mieux que de propager l'histoire. Il a dit qu'il avait jamais vu Champion *flyer* de même.

John réalise qu'il y a de bonnes chances que Marie ne remette jamais les fesses sur un banc de calèche. La majorité des cochers inexpérimentés sont lâchés prématurément dans la nature. L'obtention du permis ne veut pas dire grand-chose et les pieds-tendres qui choisissent de rester à Griffintown sont bien souvent simplement plus obstinés et insouciants que les autres, pas forcément plus doués. Lui-même n'a jamais oublié sa première journée. Dans le temps, il fallait s'atteler tout seul et vivre avec les conséquences de son ignorance. Nerveux comme tout cocher sur le point de s'élancer pour la première fois dans la côte Bonsecours, John avait bien calculé sa manœuvre, attendu que le feu de circulation passe au vert pour ne pas rester pris au beau milieu de la pente, puis s'était élancé au trot. Il n'y avait personne dans la côte pour entraver son ascension, tout allait bien jusqu'à ce que le cheval accélère la cadence sans que John comprenne pourquoi... Puis le cocher avait senti que, sous lui, la calèche reculait : horreur, son cheval s'était dételé ! Il avait trottiné seul jusqu'au stand et John, toujours à bord de la calèche en compagnie d'une famille de Mexicains qui trouvait la scène hilarante, avait embouti un camion de livraison.

La plupart des cochers dissimulent une histoire de ce genre dans leur placard et préfèrent la taire. Après un accident, deux options se présentent : abandonner l'idée de devenir cocher ou vaincre sa peur, comme le jeune cavalier qui remonte en selle en tremblant après une chute et à qui on annonce qu'il faut tomber sept fois avant de pouvoir prétendre savoir monter à cheval. L'honneur et l'ego s'en trouvent fortement égratignés, mais c'est un passage obligé.

~

Billy n'est pas au bout de ses peines. Après sa découverte de la veille, il n'a pas fermé l'œil de la nuit. Une fois à l'écurie pour nourrir les chevaux, il constate que Champion a les antérieurs rigides et les jarrets endoloris. Il avance péniblement et, à le voir cheminer aussi précautionneusement, on pourrait croire qu'il a un œuf logé sous chaque sabot. Las, presque deux décennies de calèche dans le corps, le vieux hongre n'a plus la vigueur obstinée de Poney, l'orgueil de Lou ni l'aisance vaporeuse de Pearl. D'ailleurs, il est arrivé à la calèche bien avant eux, au temps de Mignonne, quand Paul est entré en scène, et déjà on louangeait son tempérament stoïque et sa bonne tête de belge. Certains chevaux se saluent entre eux ; Champion a toujours été bavard et engageant. Mais, après la mort de Mignonne, il a cessé de saluer ses semblables. L'été suivant, à son retour, il a ralenti la cadence et adopté sa légendaire démarche atone, cette foulée lourdaude et empesée qui exaspère les cochers d'expérience. Ce matin, le vétéran a la mine encore plus basse.

Billy reste à son flanc. Au printemps, il s'était longuement demandé s'il allait lui infliger ou non une dernière saison. Pour les nouveaux cochers, un vieux cheval lent qui a du métier est un compagnon rassurant. Mais Billy sait d'expérience qu'une fois l'usure installée, vaut mieux ne pas prolonger indéfiniment la carrière d'un cheval de calèche comme le fait Gilbert, un autre propriétaire, en rachetant à l'encan des chevaux destinés à la viande pour imposer un été de plus à ces vieilles bêtes fatiguées à l'air absent qui n'en peuvent plus. Sans être démesurément attaché aux chevaux, Billy devine quand le temps est venu pour eux d'accrocher leurs fers.

Le palefrenier mène doucement Champion jusqu'au véhicule de transport, en respectant sa lenteur. Agacé par la douleur aux pattes, Champion balaye de la queue l'air vicié de l'écurie une dernière fois avant de s'engouffrer dans la lumière de ce petit matin de juin. C'est tout un pan de la culture cochère et de l'histoire de Griffintown qui s'éteint avec lui dans ce silence grave et diaphane, requiem coi pour un vieux cheval qui s'en va rejoindre Mignonne.

En arrivant là-bas, il la saluera.

~

John met le pied tôt à l'écurie ce matin-là, espérant croiser sa protégée. Il remarque l'absence du camion de transport sur le site. Lorsqu'il voit le box vide de Champion, il comprend qu'il a bien fait de venir. Sur le tableau où Billy laisse des notes à l'intention des cochers, il lit que Marie a hérité de Poney et que lui-même reprend les rênes du haflinger, le cheval fébrile et imprévisible qu'il a commencé à entraîner… Ça fait plus ou moins son affaire, mais vu les circonstances, il s'en accommodera.

Georges Prince arrive tôt, comme d'habitude, suivi de près par Marie. John la voit jeter son vélo dans le bosquet de chiendent. Elle tente en vain d'approcher le chat à trois pattes en l'appelant. Du plus loin qu'il se souvienne, il y a toujours eu un chat à trois pattes à l'écurie, environnement hostile par excellence où les animaux se blessent fréquemment. John a vu le vétérinaire amputer la patte blessée du dernier chat en date. Il a disparu quelques jours puis est revenu, affamé et plus sauvage que jamais, toujours aussi habile chasseur d'oisillons, de mulots et de chauves-souris, dont il laisse les deux ailes intactes. Trop coriaces. Trois-Pattes est comme un pirate à la jambe de bois, semblable à Evan : amer, enragé. Comme lui, c'est la mauvaise humeur qui le tient en vie.

John commence par raconter cette anecdote à Marie, car elle aime ses histoires cochères et cheva-lines, puis il lui annonce que Champion a raccroché ses fers. « Et bien d'autres chevaux te quitteront en te brisant le cœur, Marie. Tu reviendras au printemps et celui que tu attends n'y sera pas. Ou lui t'attendra et tu ne viendras pas. Il faut t'endurcir, sinon tu ne pas-seras pas l'été. »

La moue de petite fille de Marie, ses longs bras comme du chiffon, ses épaules endolories et le chagrin qui l'a envahie lui rappellent la seule fois qu'il a vu pleurer des cochers, à la mort de Mignonne, devant son grand corps blanc effondré recouvert d'une couverture qui laissait dépasser ses quatre sabots ferrés. Il se souvient aussi du jour où Ray s'est pendu. John avait mis le pied à l'écurie au petit matin en passant par le garage à calèches, comme d'habitude. Et il avait aperçu la longue corde qui pendait du plafond jusqu'au sol, encore nouée au cou de Ray dissimulé sous une couverture de laine usée avec, tout au bout, la pointe des bottes de cow-boy. Billy, muet et immobile, assis sur une botte de foin au chevet de Ray. Et, depuis, cette fissure dans le plafond près de la poutre.

John tasse les herbes et pointe à Marie les deux petites croix, celle de Ray, où on peut lire « Mort les bottes aux pieds », et celle de Mignonne, deux planches clouées sur lesquelles une main féminine a tracé en rose les lettres du nom du cheval. Aucune date, puisqu'on ignore quand ces deux-là sont venus au monde. Le chiendent qui pousse en abondance sur leurs tombeaux a presque entièrement recouvert les croix. C'est comme ça à Griffintown, où généralement cochers et chevaux en sursis ne font pas long feu, d'autres vies venant faire oublier les leurs. « D'autres chevaux viendront, Marie », répète John.

~

Ce matin, la calèche ancestrale de Marie attelée à Poney fait une entrée remarquée dans le Vieux. Rue Notre-Dame, les cols bleus ont retiré la plaque de métal à l'origine de son accident avec Champion. Marie se jure qu'elle passera à travers cette journée.

— Heille, crie Alice de l'autre côté de la rue, en face de la basilique, c'est pas un cheval pour une petite fille, ça !

Marie s'arrête un peu plus loin, en haut de la place Jacques-Cartier, au stand le moins achalandé. Elle est, ce matin-là, la première arrivée et n'a pas besoin de faire reculer son cheval, ce qui l'arrange. John lui a dit que faire reculer la calèche, c'est comme jouer au billard, qu'il n'y a qu'à comprendre l'angle à partir duquel aligner calèche et cheval et qu'ensuite, ça se fait presque tout seul, ça vient avec la pratique. Mais Marie ne sait pas jouer au billard.

Elle tend une carotte à Poney, qui la déguste sans en échapper une miette, efficace jusque dans sa manière de dévorer les friandises. En se rendant au point d'eau avec la chaudière, elle aperçoit le Rôdeur qui s'approche.

— T'as réussi à te rendre en un morceau, la Petite ? Café ?

Peu après, elle fait l'expérience d'une loi de la quantique cochère dont John lui avait déjà parlé : «Dès que t'as un café entre les mains, tu *loades*, même sans avoir sollicité les touristes.» Par orgueil et pour ne pas les inquiéter, elle n'annonce pas au couple torontois dans la jeune cinquantaine qu'ils sont les premiers passagers sous sa gouverne.

Voyant qu'elle a embarqué son premier client avant lui, Alice grimace. L'attention de Marie est toute concentrée sur le chemin à prendre, les dates à retenir et la description des styles architecturaux. L'édifice Aldred, celui qui a la forme d'un gâteau de mariage, c'est de l'Art déco. La Banque Nationale et son impressionnante voûte extérieure protégée par un enchevêtrement de fils électriques sont bien visibles de la rue Saint-Jacques. Paul Chomedey, le gars avec un pigeon sur chaque épaule en plein cœur de la place d'Armes : fondateur de la ville en 1642. Le St-James avec sa suite à cinq mille dollars la nuit où a séjourné Mick Jagger… Tout va bien, Poney s'avère le compagnon idéal.

En s'engageant dans la rue des Récollets, elle heurte le coin du trottoir ; son élastique à pneu se décroche. Heureusement, elle n'est dans le champ de vision d'aucun cocher. Après avoir demandé aux touristes de lui accorder deux minutes, Marie descend et essaye en vain de reproduire ce que Billy a fait après l'accident. Sans élastique, on a l'impression de se promener dans une carriole déglinguée sur une route rocailleuse. Pas le choix, elle doit trouver une façon de tendre l'élastique… Pour que ça fonctionne, il faudrait qu'elle arrive à soulever la calèche pendant une fraction de seconde ; or, la tâche lui paraît impossible, il lui manque une troisième main.

Georges Prince passe près d'elle avec le clydes-dale, toujours attelé au buggy vert décoré de peluches et de roses. La jument se déplace à grands pas, effectuant des enjambées si longues que sa vitesse de marche équivaut presque au trot de travail — d'ailleurs, elle semble essoufflée et présente un peu d'écume aux lèvres. Le cocher-étoile fait un signe à Marie puis, sans même lui sourire ni interrompre ses explications aux gens qui ont pris place dans sa calèche, il saute à terre, rejoint la jeune cochère, fixe l'élastique à pneu en un quart de seconde et, en gen-tleman, lui fait un clin d'œil et la quitte sans deman-der son reste.

En gagnant la rue de la Commune un peu plus bas, Marie reconnaît Trudy et deux autres cochères qu'elle s'apprête à saluer lorsqu'un chœur de voix âpres s'élève.

— C'est toi la petite nouvelle qui brûle les che-vaux?

Aussitôt des larmes montent dans les yeux de Marie.

— C'est à cause de la plaque de métal, marmonne-t-elle si faiblement que personne ne l'entend.

— Va falloir que tu comprennes qu'un cheval, c'est pas un char, gueule l'une des trois femmes.

— Ouin, tu peux pas aller faire changer les mor-ceaux au garage après un accident, John t'a pas expliqué ça?

— En tout cas, t'en as pas fini avec nous autres.

Marie inspire, expire, s'efforce de reprendre le dessus ; il y a des touristes à bord après tout.

— *Who are those scary bitches?* demande la femme.

— *My colleagues*, répond Marie en baissant les yeux.

Quai de l'Horloge, Accueil Bonneau, premier bordel de la ville, École de cirque : le tour tire à sa fin et le convoi s'engage sur Berri, la rue qui marque la frontière orientale du Far Ouest...

Sa vie de l'autre côté ne l'intéresse plus. Après le passage de son ex dans l'appartement, il ne restera pas grand-chose : beaucoup de poussière, le porte-épices et un pot de cornichons dans le frigidaire. Que du vide et la possibilité d'un recommencement.

Le feu de circulation vire au vert et Poney s'élance au trot dans la côte Bonsecours. Alors, Marie fait quelque chose qu'elle ne s'est jamais autorisé comme cavalière : elle desserre les rênes et délègue tout le pouvoir à l'animal. « *Your horse is amazing* », dit la femme une fois en haut de la pente. Marie repense à la notion de « cheval pour cochers expérimentés ». Foutaise ! Ces bêtes sont si avisées, si autonomes qu'elles permettent au cocher de s'en remettre entièrement à elles, de s'allumer une cigarette et de conduire d'une main en pensant à autre chose.

Après le départ des touristes, Marie offre trois belles carottes et une poignée de *peppermints* à Poney. Elle voudrait se coller à son épaule, mettre ses bras autour de son encolure, déposer un baiser sur la rosette qu'il a tout en haut du chanfrein mais, connaissant son tempérament, elle pressent que ces gestes vont l'agacer. Alors, elle se plante devant lui et le regarde au fond des yeux.

Noirs et étincelants, protégés par une fine couronne de cils roux, les yeux de Poney brillent d'une intelligence sensible et intuitive. Dans leur profondeur, Marie décèle quelque chose d'encore ensauvagé. Les yeux des chevaux sont des bijoux anciens, songe-t-elle.

~

Dans son buggy couleur moutarde, John gagne le stand de Marie en tenant le haflinger rênes courtes. Les biceps de ses longs bras minces saillent, au bord du tremblement.

Contrairement à celles de Poney, les oreilles du haflinger sont très mobiles. Naseaux dilatés, crinière blonde au vent et voile d'écume aux commissures des lèvres, l'animal paraît agité et nerveux, de tempérament explosif.

— Je passe mon temps à m'obstiner avec. Il me fait penser à mon père.

Sourcils froncés, John scrute l'horizon et lâche un juron.

— Alice s'en vient nous voler le *gun*[1], manquait plus rien que ça.

— Nous quoi?

— Il va venir se planter au bout de la ligne pour nous voler un tour.

Qu'Alice s'adonne à de telles bassesses est, aux yeux de John, un affront.

— Je m'ennuie à la basilique, il se passe rien depuis deux heures, lance-t-il à John, l'air contrit. Lloyd dort pis j'ai même pas une demi-cloche encore.

— T'es bon comédien, ironise John. On va se souvenir de ton grand talent, Alice.

Plus à l'ouest rue Notre-Dame, Trish, Trudy et Patty, toutes attelées à des belges, avancent, résolues, en une procession presque militaire, vers le stand.

— Les vieilles peaux! annonce John.

— T'es dans' marde, la Petite, prévient Alice, qui vient par trois fois de se faire lui-même voler le *gun*.

Poney enregistre l'odeur des trois femmes et celle de leurs chevaux avant même de les apercevoir:

---

1. Voler le *gun* : Pratique malhonnête qui consiste, pour un cocher, à se rendre à une autre station et à s'installer devant les cochers en attente pour être le prochain à faire monter un passager.

deux juments et un hongre mature. Il émet un hennissement court et enjoué, salutation sympathique mais polie, simple expression de connivence qui ne réclame aucune réponse. Les trois chevaux (crins lavés, robe praline) inclinent les oreilles dans sa direction et se positionnent à l'avant du cheval d'Alice.

Chaudière à la main, les cochères sautent à terre d'un même mouvement et font mine de se diriger vers la pompe à eau en s'attardant sur l'espace occupé par Marie. Elles cherchent activement à la prendre en faute, mais l'asphalte est propre autour de Poney, la calèche est à la bonne distance du trottoir, les montants de la bride, correctement ajustés, il n'y a pas l'ombre d'une petite pomme de crottin dans la couche, et Marie a même pris le temps de nettoyer les yeux et les narines de son cheval avec un linge et de tresser sa crinière noire selon une technique que Trish, Trudy et Patty ignorent.

— C'est moins compliqué que ça en a l'air et ça tient toute la journée, précise Marie en remarquant que toutes les trois s'intéressent à la tresse. Et quand il fait chaud, ça dégage l'encolure.

John n'en revient pas, la Petite a réussi à s'éviter la colère des chefs cochères. De son banc, il observe Marie : silhouette élancée, teint de lait, une effervescence jamais en déclin, long cou de pouliche gracile, un peu maladroite. Elle est moins innocente, beaucoup plus insaisissable qu'il ne l'a d'abord cru. Elle a le regard ouvert et expansif, si bien qu'on s'imagine pouvoir plonger dedans. Mais tout n'est pas aussi simple. Il y a quelque chose d'indompté et de cassé en elle. Elle est comme les chevaux qui l'entourent : son passé la hante.

Sentant l'insistance de ce regard, la jeune cochère se tourne vers John, échappe la mèche de crins qu'elle tient dans sa paume.

~

Quatorze heures à l'écurie, le calme plat : tous les cochers de jour sont sortis et plusieurs heures passeront avant l'arrivée de la relève, en fin d'après-midi. Billy en profite habituellement pour nettoyer les entre-deux, compter les balles de foin et les poches de moulée, passer un coup de balai dans l'allée, recharger les piles des lanternes à calèche... Mais la disparition de Paul et la découverte de son camion dans le stationnement ont semé l'anarchie dans sa routine. Il passe désormais beaucoup de temps à mener l'enquête. Le dernier Irlandais s'assied sur le toit de sa roulotte ou dans la cave, sur le congélateur, le canon du fusil appuyé sur la cuisse, puis s'adonne à ses exercices d'extrapolation qui le ramènent vers deux hommes. Evan d'abord, en raison de la folie qui hante son regard et de ses idées mégalomanes. Et le Rôdeur, dont il ne saisit pas bien les motivations, les allées et venues et qui passe beaucoup de temps à l'écurie, dans le box qui lui sert d'abri... Il disparaît, puis revient sans jamais donner de détails. Dans un calepin, Billy a tracé au-dessus de sa tête de vieux bouc aux dents en or un point d'interrogation.

Le dernier Irlandais a montré à John le pick-up carbonisé de Paul Despatie et discuté avec lui des deux suspects, mais le cocher n'est pas plus avancé que lui et peut, au mieux, servir de confident. Au Saloon, les hommes de chevaux continuent de s'enivrer et de se soupçonner les uns les autres. Eux non plus ne sont pas d'une grande aide et Billy a craint que les choses ne dérapent, mais leurs préoccupations habituelles ont repris le dessus : l'Amphi-Bus qui effraie les nouveaux chevaux, les fers qui claquent croche, les travaux de construction. Il n'a confiance qu'en une seule autre personne, mais il ne sait pour le moment si elle respire encore, et il va devoir se débrouiller pour la retrouver. Paul ne peut pas rester éternellement plié en deux dans le congélateur.

Il descend à la cave, dépose le fusil de chasse par terre contre un vieux harnais desséché dans lequel couine une portée de ratons naissants, et entrouvre le congélateur.

Lorsqu'il aperçoit l'arrière du crâne de Paul, sa nuque et ses cheveux foncés, encore tout frisottés, il a l'impression que son ancien patron va se tourner vers lui et lui dire d'aller préparer le buggy de Cendrillon pour un mariage. Il hisse péniblement le cadavre hors du congélateur, le pose par terre, sur une bâche. Il attendra qu'il dégèle et mettra son plan à exécution.

La Mère. Il faut entrer en contact avec elle. Si elle est toujours en vie.

131

~

Le corps de Paul Despatie met plusieurs journées à dégeler complètement. Elles passent ainsi : John croise Marie au stand au hasard d'un tour, lui adresse chaque fois un demi-sourire incrédule, Marie accumulant si bien les tours qu'elle a à peine le temps d'avaler un sandwich, le Rôdeur errant d'un stand à l'autre avec son sac brun à la main, les trois cochères de l'Apocalypse postées rue de la Commune près de la Pointe-à-Callière, Poney et le haflinger, chacun à leur façon, livrant le meilleur d'eux-mêmes. Vers 16 h, tout ce beau monde prend le chemin du retour. La lumière mielleuse de fin d'après-midi perce la demi-pénombre de l'écurie, jetant sur la peau des hommes et sur le cuir des bêtes une luminosité entêtée qui magnifie la scène.

Ce jour-là, quelqu'un a réussi à syntoniser une station de radio qui joue clairement, une fréquence américaine spécialisée dans le folk et le country. Hank Williams, Leadbelly, Patsy Cline… Les écouter une main posée sur l'épaule d'un cheval en tenant de l'autre une bière glacée, usé par le soleil et encrassé par la poussière de Griffintown, réactive le sens premier de toutes ces musiques ouvrant l'horizon de ceux qui triment dur.

— Combien de cloches ? s'enquiert John.

— Deux, ment Marie alors qu'il y a sous son banc un peu plus de trois cents dollars.

132

« Garde un profil bas quand tu *loades* en fou une journée pis que c'est pas le cas pour tout le monde, sinon les autres vont t'en vouloir, surtout au début » : John lui-même le lui avait enseigné. Ses tours, elle les fait le matin, tôt, avant l'arrivée de la calèche jaune citron attachée au cheval d'or mat et des autres cochers, alors qu'elle règne presque seule dans la zone touristique avec pour complice le Rôdeur, toujours vêtu de la veste subtilisée à un employé de la Ville. Elle le fait monter dans sa calèche en quittant l'écurie et le conduit dans le Vieux, en échange de quoi il ferme les yeux lorsqu'elle fait monter des clients ailleurs qu'à son stand. Ensuite, John arrive, puis les autres, et Marie a déjà pas loin d'une cloche en poche.

La nuit, de retour chez elle dans le Far Est, Marie dort d'un sommeil agité et peu réparateur. C'est sa propre voix qui la réveille au beau milieu de la nuit. Elle s'entend raconter l'histoire du théâtre Centaur, ancienne Bourse de Montréal, un immeuble édifié au début du vingtième siècle, très imposant avec ses six colonnes dressées devant la façade. Les yeux clos, elle déclame comme une automate l'histoire de la ville, le visage tourné vers la fenêtre située à la tête de son lit, répétant ce qu'elle a raconté au moins six ou sept fois au cours de la journée. Elle se voit en rêve aussi, parfois à bord de sa calèche, mais assise sur le siège du passager, allongée dans une posture inconfortable : les pieds sur l'une des banquettes, genoux pliés en accordéon, les épaules sur l'autre banquette et la nuque tordue, les cuisses dans le vide, tentant de résister à la force gravitationnelle…

S'éveille en sursaut au moment de tomber. Ses rêves l'épuisent.

~

Accroupi auprès de Paul, Billy prend la main de son ancien patron, touche sa paume et, du pouce, appuie pour voir si le corps est bien décongelé. Le cadavre dégorgé a libéré une grande quantité d'eau et une petite buée funèbre sentant la mousse et les champignons.

On veillera le corps le soir même, dans le bureau de Paul. John aide Billy à transporter la dépouille détrempée sur le divan. Les jambes, très lourdes, qui ont d'abord paru difficiles à déplier après avoir passé plusieurs semaines figées dans une position impossible, semblent désormais désalignées du tronc, comme si Paul avait cherché à se grandir pour regarder par-dessus une clôture. On a tiré deux fois en plein thorax ; les balles sont allées droit au cœur. Le teint de Paul est d'un étrange mauve tacheté de jaune, sa chevelure, hirsute et huileuse, ses doigts, crochus, ses lèvres, refermées en un rictus à la fois grotesque et cynique… John jette un regard perplexe au cadavre : «Faut l'arranger mieux que ça », dit-il.

Pendant que Billy chausse Paul de ses bottes noires et enfile à nouveau les siennes, John fait sauter le loquet du bureau. Il se souvient qu'il y a un crucifix en haut de la porte et il veut le lui glisser entre les doigts, à défaut d'avoir à sa disposition un chapelet.

La porte cède plus facilement que prévu. À l'intérieur, dans la lumière ambrée qui filtre par le store horizontal, danse, comme partout ailleurs dans l'air de Griffintown, une fine poussière dorée, mais en concentration plus importante, comme si c'était de là qu'elle provenait. John tousse un peu, puis sourit à la vue de la tasse de Paul qui porte l'inscription «J'aime la bière froide et les femmes chaudes.» Paul aimait aussi les chevaux de trait, les disques de Garth Brooks et les accessoires westerns. Il aimait à croire qu'il était un cow-boy. Au fond de sa tasse, dans deux ou trois centimètres de café caillé, quelques mouches, folles de sucre, se sont noyées.

Billy visse une chandelle dans le goulot d'une bouteille de bière et annonce que la veille du corps aura lieu en début d'après-midi et qu'aucun cheval ou calèche ne sortira dans le Vieux, sauf peut-être en fin de soirée.

John s'installe sur une chaise en bois, à gauche du cadavre. Pour se donner une contenance et marquer le passage du temps, il fait craquer ses jointures aux quinze minutes. À droite de la dépouille, Billy se décrasse les ongles à l'aide d'un couteau de poche et s'envoie de temps à autre une petite lampée de vodka. La bouteille est rangée derrière le sofa, en équilibre précaire sur le calorifère. Il la tend à John, qui, vu l'heure, décline l'offre. Et ils attendent, comme ça, l'arrivée des premiers cochers pendant qu'en fond sonore, à la télé, se succèdent les émissions matinales de décoration intérieure et de cuisine. Au menu : canard laqué, mousse à l'huile de truffe, sorbet à l'anis. À l'autre chaîne, une dame a économisé mille dollars pour s'offrir un petit boudoir feng shui. Billy regarde Paul, puis John qui se ronge les ongles, et la dame à la télé qui pleure sa vie devant un petit tas de roches dans un bol en vitre. Il se demande dans quel monde de fous il vit.

On veille le corps toute la journée. Les cochers se signent et vont s'asseoir sur des balles de foin sec à l'extérieur, là où Evan a garé sa roulotte quelques semaines plus tôt avant de disparaître Dieu seul sait où. Lloyd a entendu dire qu'il travaille dans un encan d'animaux non loin de la frontière américaine. Le Chinois du dépanneur vient à plusieurs reprises livrer des caisses de bière aux cochers. En après-midi, une chicane éclate entre Alice et l'Indien. Il est question de Trish, occupée à faire du café dans la cuisine. Il s'est passé quelque chose entre l'Indien et la cochère au cours des derniers jours et ça ne fait pas l'affaire d'Alice, qui l'a fréquentée plusieurs années auparavant. Les joues empourprées, il se lève et provoque l'Indien en l'appelant « le sauvage ». Mieux vaut ne pas appuyer sur ce bouton-là. Tout l'alcool absorbé depuis tôt le matin a amorti leurs gestes, ralenti leurs élans et embrouillé la précision des coups portés. John leur ordonne d'aller se battre ailleurs, près du ruisseau, sous le grand chêne. Sous les bottes de l'Indien, la terre s'effrite à mesure qu'il recule, là où le terrain coupe en pente raide vers le ruisseau d'eaux croupies. On le voit battre des bras comme pour retrouver l'équilibre. Il tente d'attraper une branche, en vain, et saisit le bras d'Alice, qu'il entraîne avec lui dans sa chute. Le ruisseau est beaucoup plus profond que les cochers ne l'imaginent. Environ la hauteur de deux hommes montés l'un sur l'autre.

D'une opacité goudronneuse, l'eau masque les repères ; les doigts cherchant quelque chose à agripper se heurtent aux parois vaseuses couvertes d'un tapis d'algues mortes. Alice prend appui sur l'épaule de l'Indien et se propulse vers la surface. L'Indien réapparaît la minute suivante et c'est comme s'ils venaient de naître au monde. Deux frères, expulsés du ventre d'une matrice noire. Une nuit, sans que quiconque ne le sache, Evan a jeté un cheval mort dans ce ruisseau. Le cheval a été avalé par les eaux et par les créatures qui vivent peut-être tout au fond, depuis la nuit des temps. Ceux de la ville misent sur la présence de ce cours d'eau pour attirer les acheteurs et leur vendre le Projet Griffintown 2.0.

Lorsque Billy sort du bureau pour annoncer la suite de la cérémonie, Alice et l'Indien ont déjà oublié le sujet du litige.

— On attelle les calèches et les chevaux noirs, annonce Billy.

— Pis Paul, qu'est-ce qu'on fait avec ? demande Lloyd.

— Dans le buggy à cabane à sucre. Va falloir le nettoyer un peu, ôter le moisi et les toiles d'araignée qu'il y a dessus… Grande Folle s'en vient.

On pare les bêtes et les calèches, on ajuste l'équipement et on porte la dépouille de Paul dans la plus grande calèche, attelée à quatre percherons que la manœuvre rend fébriles. Peu après, un cortège dissipé s'engage dans les rues de Griffintown : cinq calèches au total, une vingtaine de cochers et le Rôdeur à leur suite jouant de l'harmonica. Grande Folle ferme le convoi, à pied elle aussi. Les chevaux sont nerveux car les cochers parlent fort et continuent de boire, des bouteilles se fracassent sur l'asphalte et le bruit des fers écrasant de la vitre inquiète Charlie dans l'attelage à quatre ; il fait quelques foulées de galop de biais, obligeant les autres chevaux attelés à le suivre, et la calèche semble sur le point de verser comme un canot. Le cercueil roule en bas de son socle, un assemblage brinquebalant de planches tordues. La marche se poursuit, bruyante et indisciplinée, les chevaux tapant le sol de leurs fers, balayant l'air avec leurs courtes queues de percherons, les oreilles mobiles, soufflant par leurs naseaux des bouffées d'air moite, pendant que les cochers se remémorent l'été où ils ont tous souffert d'une chaude-pisse qui les a fait uriner vert. Un souvenir plus ou moins approprié vu les circonstances, mais au moins ils font du bruit, beaucoup de bruit. Leur convoi ne passe pas inaperçu et cela fait partie du plan de Billy.

Comme prévu, la Mère les voit passer. La Mouche aussi. La première est juchée sur le toit d'un immeuble du quartier. Le second s'est réfugié derrière une porte cochère.

De retour à l'écurie, Billy renvoie les cochers chez eux et il attend. Une heure passe, puis deux. Le cercueil de fortune de Paul a été déposé sur quelques balles de foin. Billy se demande, encore, comment disposer du corps, souhaitant plus que tout au monde ne pas avoir à le congeler à nouveau.

La Mère ne vient pas.

~

Le soir même, après avoir nourri les chevaux, le dernier Irlandais enfourche Maggie puis, monté sur son dos, sort la blague à tabac de sa poche de chemise, s'en roule une vite fait, rabat sa casquette et commande le pas, envoyant Maggie en direction du ruisseau et du canal de Lachine dans l'intention d'en longer le cours jusqu'aux écluses.

Non loin de la rue de la Montagne, par la porte entrebâillée d'une petite fabrique de valises multicolores, il observe un moment les employés. Valise bleue, valise rouge, puis jaune, verte, rose, pour ranger on ne sait quoi, dans l'intention d'aller on ne sait où. Billy est soudain pris d'une sensation d'étourdissement. Le ciel va lui tomber sur la tête et il ne parvient pas à échapper au sort. Cette impuissance est intolérable.

Derrière lui, dominant les gratte-ciel, le mont Royal et sa croix éternelle, à propos de laquelle il a entendu tant d'histoires différentes selon le cocher qui la racontait, à un point tel qu'il ne sait même plus comment elle est arrivée là et, surtout, pourquoi on tient tant à ce qu'elle demeure en place. Quoi qu'il fasse, il lui semble qu'il y a toujours une croix dans son champ de vision.

L'idée de prier lui passe par la tête, mais il songe que les gens comme lui, qui entreposent des cadavres dans des congélateurs, n'ont probablement plus droit au secours divin.

Billy plisse les yeux. À l'horizon, des étourneaux s'agitent autour d'une première petite station de dédouanement, près des écluses. Une mouche se pose sur sa joue. Il la chasse, agacé. Elle revient, alors il agite les rênes en tous sens pour la faire fuir. Croyant avoir affaire à une commande maladroite, Maggie s'élance au galop.

Il la laisse filer. Maggie apprécie le tapis d'herbes humides, bien moelleuses sous le sabot; elle accélère la cadence, allonge la foulée, et sa crinière s'ébouriffe, se soulevant puis se redéposant selon que ses fers touchent ou non au sol au troisième temps de l'allure. Parvenu aux écluses, Billy tire sur les rênes, la fait ralentir puis l'immobilise. Il l'attache à un lampadaire en faisant un nœud dans les rênes. Les étourneaux sont toujours aussi bavards.

Le palefrenier se demande ce qui peut les exciter de la sorte, alors il saute à terre en pliant les genoux — un truc pour ne pas que la douleur de l'impact vous scie les rotules en deux — et il s'approche de la rampe. Dans l'eau, grand responsable de l'affolement des étourneaux, un ballon rouge à pois jaunes tournoie au bas d'une petite cascade, maintenu en place par le courant qui rejoint la chute en sens contraire : la stagnation en mouvement. Il lâche un juron. En l'entendant, Maggie lève l'encolure, oriente sa belle tête vers lui, cesse sa mastication et cligne doucement des yeux. La grâce d'un cheval, sa vision en bloc, suffit parfois à interrompre l'homme dans son muet soliloque.

Ils rentrent à l'écurie par le même chemin. La jument va d'un pas un peu traînant et Billy en profite pour rouler une seconde cigarette, puis il craque une allumette, plisse l'œil, approche la flamme et inspire profondément en replaçant le nœud des rênes en équilibre sur le pommeau de la selle. Au loin, le château de tôle paraît au bord de l'effondrement. Il doit bien y avoir une limite au rafistolage, un point de non-retour, un moment où l'on est forcé de baisser les bras et d'abdiquer devant le passage du temps, devant le travail de la gravité et de l'érosion. La matière ploie, se fend, s'effrite, se délite, se disperse, et cette certitude donne à Billy l'envie d'engloutir une poignée de terre ; il sent le sable s'émietter, devenir poussière entre ses molaires, jusque dans son ventre.

Son attention est soudainement captée par un objet poreux et desséché, on dirait du corail ou une couronne d'épines, une éponge sèche, peut-être des oiseaux blancs se disputant un peu de mie. L'amas de feuillage et de brindilles qui a pris forme à l'angle des rues Murray et Ottawa avance en virevoltant, sans but apparent, le long de la rue William. Il pense : je suis seul à Griffintown avec les chevaux.

Après avoir quitté la bande du canal de Lachine, il gagne la rue Richmond, toujours aussi muette et désolée, et s'arrête soudain devant une scène qui lui coupe le souffle.

Près du box qui sert à entreposer le foin, au bout de l'allée, là où Evan a garé sa roulotte avant de filer à l'anglaise, la Mère Despatie veille le corps de son fils.

DU PLOMB DANS L'ŒIL

Agenouillée auprès de la dépouille, la Mère a déposé sa carabine. Elle déboutonne la chemise de Paul, fronce les sourcils. Puis elle plonge les doigts dans la blessure d'où elle extirpe deux balles qu'elle lève vers le soleil rougeoyant, boule de feu dans un ciel rose. Deux coups au cœur, l'œuvre d'un pistolet presque aussi antique que la vieille Schultz & Larsen offerte par son père... Aucun doute possible ; le meurtre est signé. La Mère glisse les balles dans sa poche.

Lorsqu'elle reconnaît le palefrenier monté sur un cheval au loin, elle le siffle et lui fait signe d'approcher, puis se lève et avance vers lui avec une tête de fin du monde. À soixante-quinze ans, la Mère affiche, plus que jamais, un air de dure à cuire et fait honneur à la réputation de hors-la-loi qui court dans la lignée Despatie. Elle a enlevé le béret vert dont elle se coiffe en permanence. Ses doigts racornis sont tachés de sang liquide et rosé, semblable à du sang d'oiseau, remarque Billy en la rejoignant.

Bien qu'encore sous le choc, le dernier Irlandais sent qu'il va devoir se ressaisir rapidement, qu'en présence de la Mère, et du corps de Paul, il a intérêt à dire quelque chose de profond.

— Il va falloir venger son honneur ! Je vais me lancer sur les traces de la charogne qui a fait ça, crâne-t-il, le poing en l'air.

— Mêle-toi pas de ça, Ti-Gars. Commence par emmener le corps de c'te maudite tête de nœud. Je m'arrange avec le reste.

Disposer, encore une fois, du corps de Paul Despatie… Billy a la désagréable impression d'être revenu à la case départ.

La Mère jette un regard au thorax percé de son fils et poursuit :

— Dans mon temps, on laissait les hommes tranquilles. On respectait une sorte de… d'éthique. On savait vivre pis on dérogeait pas au code.

Billy a déjà entendu parler des méthodes de la vieille garde. À l'époque, les marchandises interdites passaient systématiquement entre les mains des hommes de chevaux. Rapidement, des clans s'étaient formés, dont celui des Despatie. De nombreux chevaux ont péri dans d'abominables boucheries. D'après les échos qu'a récoltés Billy, les luttes de pouvoir, les chevaux baignant dans la paille souillée de sang, tout ça avait diminué puis cessé complètement lorsque la Mère Despatie avait fait un pacte avec la mafia montréalaise, cédant une partie de son pouvoir en échange de sa protection. Normand Despatie venait de succomber à une pneumonie et la Mère avait hérité du business, son fils étant encore trop jeune pour en prendre les rênes. Ce fut le début d'une ère peut-être moins prospère, mais beaucoup moins sanguinaire, qui perdurait depuis des décennies et aurait sans doute filé comme ça des années durant... si la mafia n'avait pas infiltré le domaine de la construction et étendu ses racines jusqu'au projet de réaménagement du Far Ouest.

Au cours des dernières décennies, après avoir trouvé de l'or à Griffintown, la Mère a assis son fils sur le trône puis s'en est retournée dans l'ombre. De là où elle se terre, elle continue de veiller sur l'union délicate entre les hommes de chevaux et ceux à chapeaux noirs.

Ceux de la ville n'ont pas fait tomber la bonne tête. Comment ont-ils pu se tromper de façon aussi grotesque ?

Ils ont sans doute essayé de s'en prendre à la Mère, à la fois partout et nulle part, personne ne sait où elle se cache, impossible de pointer un canon dans sa direction. Plusieurs rumeurs circulent à son sujet ; certains prétendent qu'elle se la coule douce à Cuba dans une hacienda avec fenêtre sur mer, d'autres, qu'elle habite un triplex à Pointe-Saint-Charles à côté d'une boutique de saucisses polonaises, Joe est convaincu de l'avoir aperçue au Bingo Masson, Dan a entendu entre les branches qu'elle s'adonne au trafic d'armes de la Première Guerre mondiale, comme son père avant elle. D'après Alice, la Mère a acheté une «grosse cabane de riches» à Brossard près du DIX30 et y savoure une retraite tranquille en réécoutant de vieux épisodes de *Bonanza* et ses vinyles de Willie Lamothe et Dolly Parton.

Fiction, fabulation et réalité se confondent comme dans toutes les histoires de cochers, terreau propice à l'éclosion de légendes de la trempe de celle de Laura Despatie, femme à la fois petite et immense, avec sa carabine à la hanche, sa gueule de tueuse et sa bottine compensée, héritage d'une poliomyélite contractée en bas âge.

Le dernier Irlandais la regarde s'éloigner, boitant, jurant et marmottant, cramponnée à sa carabine comme à une canne. Désormais ils sont deux à porter à bout de bras le corps de Paul Despatie.

~

L'Hôtel Saloon affiche «Fermé»; il n'est pas encore midi et le soleil d'août tape déjà fort.

Dans la pièce du fond, Laura Despatie rumine sa vendetta en mâchouillant de petites chiques de tabac qu'elle crache par terre. Il faut répliquer sans attendre, le deuil viendra ensuite. Après un tel affront, la paix est impossible et la suite, une algèbre hasardeuse. Pour l'heure, la Mère ne saisit pas ce qu'on cherche à lui prendre, ou à lui communiquer. Il s'agit sans doute d'une question de territoire. Peut-être y a-t-il eu un changement de clan ou de régime chez les mafieux ? Chose certaine, il faudra surveiller le bétail. Mais peut-on vraiment s'en remettre à Billy ? Il y a si longtemps qu'elle n'a pas combattu le Mal à Griffintown ; Laura Despatie ne sait plus distinguer ses ennemis de ses alliés. La cible est floue et ses réflexes de battante, moins aiguisés que par le passé.

Elle reste convaincue d'une chose : vaut mieux ne pas sous-estimer les intentions des crapules qui ont commandé l'assassinat de son fils. Pour le moment, elle reconnaît l'exécutant — et il paiera pour cette bassesse —, mais pas celui ou ceux qui ont tiré les ficelles.

Elle huile l'embout de sa carabine.

La Crinoline

On racontait que pendant plusieurs années, avant de prendre en main l'Hôtel Saloon, Laura Despatie avait été à la tête d'une petite maison de débauche où des hommes d'affaires et quelques avocats avaient rendez-vous avec des filles de joie originaires de l'est de la ville, vêtues de robes à jupes amples à la Claudia Cardinale. Aux murs des chambres au mobilier rustique, on avait accroché lassos, fouets et photos de montagnes asséchées, de gares en bois gris, de cactus géants, de troupeaux de mustangs. Paul était adolescent à l'époque du bordel La Crinoline ; caché dans un placard à balais entre deux chambres, il se rinçait l'œil par les fissures qu'il agrandissait au moyen d'un tournevis et d'un canif suisse. Quand, pour une raison qui lui resterait inconnue, on intima à Laura Despatie l'ordre de mettre la clé sous la porte, elle décida d'ouvrir une taverne et la majeure partie de la décoration intérieure atterrit à l'Hôtel Saloon. Les portes battantes dans l'escalier menant aux chambres furent dévissées puis posées dans l'entrée du Saloon.

Sur les photos jaunies, au bordel comme à l'Hôtel, cet éternel ciel bleu-jaune délavé où perdre le regard.

Quelques filles de La Crinoline se recyclèrent dans le business de la calèche, Trish, Trudy et Patty notamment, surnommées «les vieilles peaux» en raison de leur vie passée. Un été, Paul eut l'occasion de réaliser un vieux fantasme d'adolescent : être enfin à la place des clients. Avec Trish, ce fut plusieurs fois par jour : dans son bureau l'après-midi, la nuit dans une calèche, à quatre pattes sur les bottes de foin, allongés sur les poches de ripe de bois.

L'année suivante, ils évitèrent de verser dans de tels excès, prirent leurs distances, et Paul se tourna vers Patty, la fille de joie la plus morose au monde, avec la ferme intention de lui accrocher un sourire aux lèvres. Il y parvint, mais en échange elle lui fila la chaude-pisse. Au fil des ans, la plupart des cochers finirent par l'attraper.

Lorsque la Mère avait pris la gouverne de l'Hôtel Saloon, le poteau de laiton pour attacher les montures à l'entrée du bar n'était pas qu'un sympathique anachronisme ; les cochers se rendaient régulièrement à la taverne avec leurs chevaux. À cette époque, la chevelure de Laura Despatie était souple et abondante, c'était bien avant la perruque. La Mère avait un jour eu la taille fine, la peau claire et les joues roses, quoiqu'elle n'ait jamais été très coquette et qu'elle soit affligée d'une vilaine boiterie qu'on n'aurait guère tolérée chez un cheval. Aucun client n'aurait osé manquer de respect envers Laura Despatie. Une fois, une seule, on envoya Dan régler le *pizzo*. L'année suivante, le message des mafieux fut catégorique : c'était avec la Mère qu'on voulait transiger. Le petit verre de porto blanc qu'elle leur servait et la boîte de nougat maison aux pistaches et à l'orange confite dans laquelle elle glissait chaque fois la liasse de billets devaient y être pour quelque chose. Mais ça, c'était son petit secret et elle l'emporterait dans la tombe.

Les visites de la Mère à Griffintown devinrent plus rares avec le temps. Elle confia l'écurie à Paul et la taverne à Dan, son petit-neveu par alliance. Ils avaient tout intérêt à ne pas la déranger pour une patte de tabouret chambranlante ou un cheval pris de coliques, sans quoi elle aboyait quelque chose comme : « Tu lui fais avaler une canette de Coke mélangée avec du gin, tu le laisses pas se coucher tant qu'il a pas chié, pis tu m'achales plus jamais pour une niaiserie de même, innocent ! »

Figure indétrônable et despotique, la Mère Despatie débarquait une fois par année au Saloon, quand le moment de régler le *pizzo* était venu. La paix avait un prix ; il en allait du bon ordre des choses et du business. Ces gens-là n'entendaient pas à rire, mais ils avaient une parole ou, du moins, ils en

avaient eu une, jusqu'au meurtre de Paul —
d'où la confusion de la Mère. Grâce au paie-
ment du *pizzo,* les visiteurs importuns se
faisaient rares et les explosions liées aux
manœuvres de la mafia tendaient à se pro-
duire dans d'autres tripots. La transaction
entre Laura Despatie et un homme à chapeau
noir avait lieu dans le bureau, puis le visiteur
quittait par la porte d'en arrière, à la suite de
quoi Laura Despatie regagnait le bar en
balançant de petits coups de pied secs aux
pattes de chaise des clients qui ne se tenaient
pas le dos assez droit à son goût. L'ancienne
tenancière d'un des derniers bordels de la
ville avalait un œuf cuit dur, bourrait sa joue
d'une bonne pincée de tabac à chiquer et
disparaissait en claudiquant Dieu savait où
jusqu'au prochain règlement des comptes.

Les dents de Laura Despatie ont pris une teinte
cireuse après une journée passée à chiquer du tabac
sans avaler autre chose qu'une boîte de thon et du
thé noir.

Comme tous les lundis, l'Hôtel Saloon est fermé.
Pourtant, de la fenêtre, on peut apercevoir une lueur
jaunasse tout au bout du corridor : l'ampoule nue du
bureau, dont la lumière crue, éblouissante, semble
éclabousser toute la pièce et même au-delà, comme

si la luminosité ardente cherchait à fuir sa source pour contaminer la taverne en entier.

La Mère se lève, fait un double nœud dans ses lacets avec ses doigts encore tachés du sang de son fils, replace son béret sur sa tête, sa carabine contre son flanc, puis quitte le Saloon par la porte arrière. À Griffintown, on n'entend plus un seul sabot claquer sur l'asphalte. Que la démarche traînante et le pas cassé de Laura Despatie.

Au Saloon, quelque chose a changé sur son passage. À l'aide d'une cuillère à soupe, la Mère a énucléé Boy. Il y a, dans ces deux trous-là, outre la sensation de vertige et d'infini qu'une telle vision procure, un nid d'araignées, qui en profitent pour s'enfuir. La Mère a comblé les orbites de vieux cuir fissuré avec les deux balles récupérées dans la dépouille de son fils. Elle a laissé traîner la cuillère sur le comptoir près du cheval empaillé et pris le temps de manger un œuf mariné dans le vinaigre avant de quitter l'endroit.

Les fissures au pourtour des orbites sont encore plus marquées depuis que Boy a du plomb dans l'œil. Avec ou sans œillères, le premier cheval ne voit plus que la mort de Paul tout autour, comme une évidence. Griffintown se résume désormais à un fils sacrifié et une mère ruminant sa vengeance.

~

Billy pense un moment balancer le corps dans les eaux du canal. Ce serait idiot. Facile, rapide, mais idiot. Il a soudain très envie de lui asséner un coup de pelle sur le front, mais se retient. Le palefrenier est à bout de ressources.

Trois-Pattes passe en le guettant du coin de l'œil. Malgré son membre en moins, le chat a conservé toute son agilité féline ; il ondule comme un ruisseau dévié de son cours. Billy a évité de poser les yeux sur ce chat au cours des premiers mois de sa vie sur trois pattes. Evan a eu un jour le projet de le noyer, mais n'est jamais parvenu à l'attraper. Il n'y a plus de souffrance dans cet animal-là ; ses yeux verts luisent, humides et triomphants, dans le soir tombé.

Billy hisse le corps de Paul sur la brouette à crottin. Le cadavre décongelé plie plus facilement, après tout le temps passé en ciseaux dans le congélateur. Armé d'une pelle, le palefrenier creuse le sol à proximité des tombeaux de Ray et de Mignonne. L'idée lui vient, encore une fois, d'avaler une poignée de terre, mais quelque chose dans le sol moite et compact lui coupe l'appétit : un sabot de Mignonne. Sous le poids des vivants, de leur prétention, de leur égarement, la terre, le sable et la poussière ont préservé les sabots des chevaux dans la mort. Pourquoi les hommes ont-ils l'habitude d'élever le regard vers le ciel lorsqu'ils cherchent des réponses à leurs questions, alors que toutes les vérités se trouvent enfouies sous les talons de leurs bottes ? Billy remarque que le sabot —

l'antérieur droit — est ferré, trouve cela étrange, mais il remblaie le tout sans insister, et commence à creuser à trois mètres de là.

Au bout de deux heures, après avoir enfin enterré Paul, il selle Maggie et fait le tour de Griffintown pour arracher les avis de recherche qu'il a lui-même fixés aux poteaux il y a quelques semaines. Ce n'est pas à lui d'écrire la fin de l'histoire. Il a mené à terme le chapitre le concernant sans entraver le déroulement de l'enquête, mais la suite des choses repose en d'autres mains que les siennes.

Le dernier Irlandais s'allume une cigarette à plumes en pensant à la caisse de douze qu'il se fera livrer par le Chinois. Puis il presse le pas, et envoie Maggie au grand galop dans la rue Ottawa, comme Mignonne huit ans plus tôt, en sens inverse. On ne fait pas galoper les chevaux de calèche, Billy le sait mieux que quiconque. Ça abîme les fers et les jarrets, mais il aime la boucle très ronde que le passage du pas au galop sans transition par le trot lui fait ressentir. Il laisse tant courir sa jument qu'une écume fine comme de la mousse de lait naît au creux de son poitrail et se répand en montant le long de sa belle épaule robuste. Billy sent Maggie s'emballer sous ses fesses, entre ses cuisses.

Puis il l'arrête, sèchement, pendu aux rênes, son cheval presque assis sous lui, le nez au ciel. Si le dernier Irlandais savait sourire, il le ferait à ce moment précis.

~

Le retour des chevaux dans la vie de Marie et les événements des derniers jours ont ravivé bien des souvenirs, douloureux ou extatiques, auxquels elle s'est mise à répliquer par l'achat compulsif de figurines de chevaux, dont sa préférée : un percheron de plastique destiné à l'étude de l'anatomie équine. Ces derniers jours, Marie a arpenté la ville et acheté tous les bibelots sur lesquels elle a posé les yeux, autant chez les antiquaires de la rue Notre-Dame qu'au Dollarama. Ce geste l'a à la fois contentée et chagrinée, des états d'âme qu'elle croyait jusque-là incompatibles. Est-ce sa récente rupture qui vient l'accabler ? «Va savoir», qu'elle se dit, de plus en plus souvent d'ailleurs, car Marie a l'impression vive, alarmante, que le monde se révèle enfin tel qu'il est : fragile et sans repères.

Dans son appartement du Far Est, la cochère est toute dédiée à la conception d'un labyrinthe de petits chevaux, une entreprise qui se termine inévitablement à la manière d'un jeu de dominos. Chevaux abattus sur la marqueterie, couchés au sol, colifichets sans rapport avec les blocs de grâce nerveuse juchés sur quatre pattes qu'elle a recommencé à fréquenter ; quelque chose de l'ordre du rêve d'enfance préservé, du souvenir retrouvé au fond d'un coffre, intact.

En pensant aux cochers, Marie remet debout les chevaux qui se sont affaissés. Elle aimerait savoir où sont nés John, le Rôdeur, Billy et même Alice, connaître leurs origines. Comprendre ce qui les a attirés, tout comme elle, vers le Far Ouest. Cette obsession lui fera bientôt perdre pied. En témoigne l'état de l'appartement : vide à l'exception d'un fauteuil, d'un matelas et d'une centaine de figurines.

Chez John comme chez la plupart des cochers, c'est aussi de ce genre de décor réduit à l'essentiel que l'on s'accommode. Les cochers ont le sentiment que quelque chose se produira à la fin de l'été et qu'ils devront trouver un autre endroit pour se poser. Moins ils s'encombrent, moins le processus de déracinement et de réenracinement sera fastidieux. Les rares objets que l'on rencontre dans leur environnement immédiat sont intouchables, presque sacrés. Billy tient comme à la prunelle de ses yeux au portrait de sa mère et à son vieux jeu de *crib* rangé sur la tablette de sa roulotte ; pour Alice, c'est un canif glissé dans la poche intérieure de son manteau de cuir, alors que Joe traîne depuis toujours une boussole déréglée qui pointe l'ouest ; plus tôt cet été, Lloyd est allé *pawner* sa montre à chaînette en or pour se payer les bonbons d'Evan et le regrette amèrement. Impossible de la récupérer, évidemment, avec tous ces antiquaires à l'œil avisé rue Notre-Dame. Chaque fois qu'il y pense, l'indignation colore ses joues et l'oblige à boire une gorgée revigorante. Le Rôdeur, lui, n'a rien, ne veut rien, et se porte mieux depuis qu'il se sait dépossédé de tout, comme si désormais il ne pourra plus être privé de quoi que ce soit. L'avantage, croit-il, c'est qu'une fois allongé au sol, le visage enfoui dans la vase, on a au moins la certitude de ne pas être en train de tomber.

John, lui, possède un vieil appareil photo qui a appartenu à son grand-père, puis à son père, qui n'a pas su quoi en faire. C'est la seule chose qu'il craint qu'on lui vole.

Errances du cow-boy solitaire

John avait un jour raconté à Marie qu'il avait l'habitude de laisser ses effets personnels dans un entrepôt l'hiver, puisqu'il descendait à New York pour vendre des sapins de Noël. Ensuite, il partait généralement sur une longue dérape qui le menait toujours plus au sud, vivotant là où il arrivait à dénicher des petits boulots, jusqu'à ce qu'il en ait assez de vendre des *fish and chips* et des épis de maïs sur une plage américaine et envisage de rentrer à Montréal. Pendant cette période, il errait, dormait dans une roulotte ou, de temps en temps, sur les bancs publics, plus parce que ça lui chantait que par infortune. À son retour au printemps, on le voyait parfois somnoler la nuit dans sa calèche jusqu'à ce qu'il déniche un appartement non loin de l'écurie à Griffintown et qu'il rapatrie ses effets personnels. Le printemps faisait toujours à John l'effet d'un difficile réveil après une cuite légendaire.

Il n'avait jamais ressenti d'appartenance à aucun groupe, n'arrivait pas à intégrer les rangs. Gamin, il faisait l'école buissonnière plus souvent qu'à son tour. John avait abandonné l'école à quatorze ans pour s'embarquer sur le pouce en direction du sud des États-Unis. Ce renoncement ne relevait pas d'un désir de mal faire, mais d'une simple inadéquation avec le monde en général. De tempérament récalcitrant, John éprouvait en permanence le sentiment d'être importun et inconvenant — sauf en présence des cochers. La plupart des hommes de chevaux ressentaient la même chose et c'était peut-être ce qui expliquait l'empathie qu'ils éprouvaient les uns envers les autres. John n'était pas tout à fait comme Alice, Gerry, Lloyd et compagnie, mais d'eux il avait dit ceci à Marie : « Je les ai toujours estimés, ces gars-là. Ils n'ont pas le choix d'être honnêtes, n'ont plus la force de ne pas l'être. » Et lorsqu'elle l'interrogeait sur les chevaux, il répondait qu'il les respectait sans les vénérer, qu'il aimait surtout les photographier.

Marie était débarquée à Griffintown alors que John cherchait à s'en éloigner et, brusquement, il avait eu envie d'aller la cueillir au milieu des ronces. Il désirait se lier à Marie aussi violemment qu'elle voulait s'unir aux chevaux.

Ce détail changerait assurément le cours de l'histoire. La leur, comme celle de Griffintown.

Tombée du soleil, sécheresse caniculaire. Du toit de sa roulotte, Billy épie le Rôdeur qui fonce vers l'est, une bouteille de mauvais whisky dans le sang, des cactus dans la gorge, un cœur friable, de la rouille plein les articulations, la cheville grinçante, un râle à chaque respiration… Le dernier Irlandais est de plus en plus convaincu qu'on ne reverra pas le commissionnaire après l'hiver, que, de peine et de misère, l'homme rompu traverse sa dernière saison.

Le Rôdeur trébuche puis se relève, maladroit, inadéquat, à bout de souffle, grimaçant à cause d'un caillou logé dans sa botte. Roi de rien mais serf de personne, serviable seulement quand ça lui chante. Il s'est fait plus rare aux stands à calèches au cours des dernières semaines. Les hommes de chevaux — et les commissionnaires en particulier — vont et viennent au gré de leurs humeurs, suivant leur bonne étoile ou obéissant à leurs démons, s'éclipsent puis surgissent à nouveau. Mais il y a au fond du regard du Rôdeur un éclair de folie ; quelque chose ne va pas.

S'il était un cheval de calèche, on l'enverrait faire de la colle, songe Billy en sifflant sa bière.

Cheminant ainsi durant un long moment, le commissionnaire croise d'abord Grande Folle venant elle aussi par le chemin de fer, qui ramène ses froufrous à l'ouest, les yeux rougis, les coutures de sa robe sur le point de céder, un boa de plumes mauves autour du cou et sa grande sacoche remplie de bonbons acides. Ensemble et à l'écart du monde, le Rôdeur et Grande Folle font de la magie noire qui sent le roussi et dilate les muqueuses du larynx. Pour eux, il est là l'autre côté du miroir. Après avoir rencontré son démon dans la nuit, le Rôdeur poursuit son épopée jusque dans la lumière ardente du jour, et soudain, sur la route, lorsqu'il l'aperçoit, il plisse d'abord les yeux : manteau de jean, bottines plantées dans la pierraille, jupe psychédélique, longue chevelure auburn électrique à la repousse grise, fourchue jusqu'au milieu du dos. Droite, tendre, sévère, des yeux couleur pomme de terre : un ange, enfin. Qui tend vers lui une main avec un fruit dedans.

À son regard fêlé, on voit bien que Roberta a elle aussi déraillé par le passé. Elle est venue avec, en renfort, un thermos rempli de café et une histoire à raconter, celle d'une petite fille caressant le rêve de posséder un cheval. Impossible, car ses parents étaient pauvres comme Job. Mais la fillette avait réussi à seller une vache et à la monter, elle la menait un peu partout dans le village, et tout le monde se payait sa tête. Dans les champs, quand la vache se mettait au petit galop, une allure penaude et un peu grotesque, la fillette fermait les yeux et s'imaginait sur le dos d'un pur-sang.

— C'te petite fille-là, c'est moé, déclare Roberta.

Le Rôdeur éclate en sanglots, malgré lui, la suppliant de le laisser tout seul. Descente de méthamphétamines.

— Non, dit Roberta, je suis justement venue te dire que t'es *pas* seul.

À bout de forces, il abdique et accepte de la suivre là où elle veut l'emmener. Vingt minutes plus tard, ils arrivent à la Mission.

Un lit pour lui seul. En s'y allongeant, le Rôdeur a l'impression que sa carcasse osseuse va se déboîter ; il dort assis depuis une quinzaine d'années sans se poser de questions, d'un œil, l'oreille tendue. Sur cette couche qu'on lui offre, allongé comme dans un cercueil, il s'assoupit au milieu d'une petite chambre sans fenêtre, la porte fermée, si bien qu'à son réveil, il n'a aucune idée de l'heure qu'il peut être, puis se croit mort, ou en prison, ou encore au poste de police. La voix de Roberta lui rappelle qu'un ange veille sur sa destinée depuis qu'il s'est évadé du Far Ouest, et maintenant cet ange veut connaître son nom.

Renseigner Roberta sur son âge serait plus facile : quarante-cinq balais, l'air d'en avoir soixante. Il doit remonter jusqu'à une époque lointaine, embrumée, funambule en équilibre sur sa propre ligne du temps. Lorsqu'il entreprend de s'asseoir, son visage est traversé d'un éclair de douleur. Roberta place un oreiller derrière ses reins.

— Léopold. C'est comme ça que je m'appelle, déclare-t-il d'une voix atone.

Les mots se sont bousculés dans sa gorge ; comme si dire son nom le faisait souffrir.

Roberta lui offre du café bien chaud dans une tasse en fer-blanc ; il accepte de manger un peu, un bout de pain, du jambon, une poire mûre, pendant qu'elle lui explique qu'il est dans un refuge pour sans-abri. Avec le peu de fierté qu'il lui reste, il ne s'est jusqu'alors jamais considéré comme un itinérant.

Dans la douche, la fine coque qui l'enveloppe se craquelle, puis cède. Le Rôdeur fond sous l'eau brûlante pour laisser toute la place à Léopold, rose chair, ruisselant.

On lui offre un rasoir ; sa longue barbe poivre et sel y passe. Du mieux qu'il le peut, Léopold taille des favoris dans ses poils drus, les discipline à l'aide d'un petit peigne noir en plastique fourni dans la trousse, qui contient aussi brosse à dents et dentifrice, savon, gel à raser, un coupe-ongle, des allumettes et un déodorant « sport ». Roberta lui remet quelques coupons pour la cantine. Elle reste à sa disposition. Il n'a rien à lui dire, mais sait qu'elle est là et, pour le moment, c'est suffisant. Elle dit s'inquiéter pour lui et Léopold passe ses journées à penser à cette phrase, qu'il trouve belle, voire enivrante : « Je m'en fais pour toi. » Dans les bacs de vêtements à la disposition des itinérants, il déniche un chapeau de cow-boy parfaitement élimé qui ferait pâlir d'envie les cochers de Griffintown.

Un médecin vient examiner Léopold, sa gorge en particulier. Un infirmier débouche ses oreilles à l'aide d'une poire. Des caillots de cire de la taille de petits cailloux en sortent. Durant les jours qui suivent, Léopold se sent agressé par le volume de la rumeur environnante : bruits de pas, murmures d'hommes, cliquetis de clés, circulation des voitures, sirènes d'ambulances, de voitures de police, de camions de pompiers, on pourrait croire qu'un drame éclate aux cinq minutes, que la ville est à feu et à sang. En fumant une cigarette avec Roberta, il entend le crépitement du feu chauffer le tabac qu'elle aspire. Sa complice a les lèvres fines comme du papier à rouler.

Elle l'a aidé à trouver un petit boulot de gardien de nuit dans une tour à bureaux. Avec sa première paye, il a acheté un vélo à un toxicomane près du square Viger et l'a offert à Roberta, qui s'est empressée de refuser. Elle lui rappelle que s'il veut lui faire plaisir, il n'a qu'à lui raconter un souvenir d'enfance, comme elle l'a fait avec son histoire de vache débourrée.

— Pas de vache dans mon histoire, pas de parents pauvres. L'orphelinat, des prières, un asile. Et un éducateur qui me la rentre creux en me serrant les ouïes dans le dortoir.

Soudain, les yeux de Roberta deviennent ocre et lumineux.

— Continue, Léopold.

Alors il déballe son sac. Son enfance crachée en mots lui brûle la bouche, lui laissant des cloques au palais. Il lui semble que des insectes courent le long de son pharynx et pointent dans ses gencives des dards invisibles. Il a le sentiment d'avoir fini de rôder.

Dans quelques semaines, on lui diagnostiquera un cancer de la gorge.

~

Marie appelle John, dans sa tête pour commencer. Temps gris, pluie fine, traits soyeux de bruine ; ils ne pourront pas atteler aujourd'hui. Elle téléphone à Billy pour en être certaine et puis à John, enfin, pour l'avertir, supposément. Elle trouve le courage de l'inviter chez elle. Ils ne se sont jamais fréquentés en dehors du Far Ouest. Marie n'a jamais cherché à ce que la réalité et Griffintown se touchent et s'enlacent.

Le cocher voudrait apporter quelque chose pour montrer qu'il sait vivre. Des fleurs ? Non, trop connoté. Il est un peu tôt pour une bouteille de blanc, alors il prend avec lui sa boîte de photos ; elles intéresseront sans doute Marie. En arrivant chez elle, il lui tend la boîte et cherche une chaise pour s'asseoir. Il n'y a qu'un fauteuil au beau milieu du salon ; il s'y installe. Marie reste debout à côté de lui.

— T'aurais pas quelque chose à boire ? demande John au bout d'un moment.

Pendant qu'elle s'affaire dans la cuisine, il remarque, tout autour, les petits chevaux de bois et de plastique, et pense, lorsqu'elle revient avec une bouteille de vodka, deux verres et de la glace, que Marie est devenue une vraie cochère et que c'est en partie sa faute à lui, qu'elle s'est dépossédée de ses biens pour mieux se fondre dans Griffintown, qu'elle n'a plus rien et qu'elle frappera un mur à la fin de la saison, qui a déjà commencé à décliner. Mais ça, elle ne le voit pas.

Il vide d'un trait le verre qu'elle lui tend.

Les photos, en noir et blanc, sont classées par thématiques dans différentes enveloppes cartonnées, dont la plus volumineuse est devenue au fil du temps la chronique des années de calèche de John, une sorte de journal photographique plus ou moins intime.

À ses débuts dans le métier, il a beaucoup photographié les chevaux, optant pour une lumière qui souligne leur lourdeur et leurs traits anciens, leur aplomb hérité d'une époque où les choses se faisaient lentement et humblement, dans les règles de l'art : coutures nettes de grosse corde piquée à la main dans les harnais, patine tarabiscotée des vieilles calèches de bois, élevage des chevaux dans le respect absolu de leur lignage. John les photographiait de loin et de profil, puis, de moins en moins craintif ou méfiant, il s'est approché d'eux, avec pour résultat la série « Têtes et avant-trains », croqués sous des angles variables souvent déterminés par le degré de luminosité et son effet réfléchissant selon la robe du modèle : claire, ténébreuse ou entre les deux pour les belges arborant souvent l'alezan chaud. Son attention s'est ensuite déplacée vers les yeux des chevaux, leurs oreilles et leurs puissantes épaules.

Dans la série « Objets », John s'est appliqué à photographier des choses inanimées qui lui paraissent porteuses de sens. Un fer ancien suspendu en haut de la porte du petit salon adjacent au bureau de Paul, le buste de Boy à l'Hôtel Saloon, le squelette nacré d'une pipistrelle lavé par les neiges, découvert près du buisson de chardons, là où le matou à trois pattes dévore ses prises et où Marie dépose son vélo, broyant par mégarde les osselets, la tasse de Paul sur laquelle on peut lire : « J'aime la bière froide et les femmes chaudes. » Il y a une trace de rouge à lèvres sur la tasse. Ce détail fait sourire John. Il a aussi photographié la fissure au plafond à l'endroit où Ray a décidé que tout était terminé. Mais le cliché préféré du cocher demeure un bouquet de marguerites sauvages qu'il a immortalisées au moment où elles commençaient à faner subtilement. John a su fixer leur lassitude naissante aperçue aux extrémités des pétales et qui, cet été-là, a été le premier signe annonciateur de la fin de la saison.

Avec les années, après s'être longuement intéressé aux bêtes, John en est venu à braquer l'objectif sur les cochers, dont la plupart se sont montrés beaucoup moins réticents que ce à quoi il s'attendait : Evan — celui d'avant l'Afghanistan — a des airs de

168

James Dean, teint hâlé, cigarette aux lèvres, coiffé d'un chapeau de cow-boy, vêtu d'un jean et d'une camisole laissant voir ses clavicules et le haut de son torse. Ray debout près d'un tas de foin, appuyé au manche de sa fourche, offre son plus beau sourire édenté. Ailleurs, Paul, surpris dans son bureau, la main levée comme une vedette cherchant à échapper au photographe. Billy, de dos, croqué à son insu. Trish, Trudy et Patty, telles des triplettes s'efforçant de bien paraître, assises droites sur un vieux banc d'église installé près de l'entrée. Lloyd qui lui fait un doigt d'honneur. Joe, Gerry et Alice debout devant l'hôtel de ville, fiers, le regard encanaillé. Puis Evan, celui d'après sa rencontre avec le Windigo, en gros plan pour capter les larmes tatouées sur sa joue. Un des plus beaux portraits de la série. Ils y sont tous. Ou presque.

— Il manque juste moi, observe Marie.

— On va régler ça là. Amène une robe. On va faire la photo à l'écurie.

Dans un gratte-ciel, Ceux de la ville sont réunis autour d'une grande table ovale en noyer.

— On va devoir passer au plan C.

— Pas le choix, les mesures plus douces n'ont pas fonctionné.

— Vous appelez ça des mesures *douces*?

— Je parle des rachats de permis par la Ville. Despatie a jamais rien voulu savoir. Le plan A, mis en branle il y a deux ans et réactivé l'hiver passé, a échoué. Sur toute la ligne.

Le climat est plus tendu que d'habitude autour de la table où siègent trois employés de la Ville, cinq promoteurs dont un qui préside la réunion, deux hommes à chapeaux noirs, deux contremaîtres et un secrétaire.

— Le plan B n'a pas donné les résultats escomptés non plus. Apparemment, on n'aurait pas fait tomber la bonne tête.

— Pourtant, on nous avait assurés que c'était Despatie qui faisait tourner le business!

— Faut croire qu'ils sont mieux organisés qu'ils en ont l'air.

Au centre de la table trône la maquette du Projet Griffintown 2.0, avec ses condos de briques rouges, ses rues redessinées et ses bassins d'eau claire. Sur le site de l'écurie, là où le château de tôle tient de peine et de misère, on projette de bâtir une petite marina pour entreposer les bateaux qui vogueront sur les eaux du canal de Lachine.

Un des entrepreneurs se lève pour aller se verser un verre d'eau. Deux hommes à chapeaux noirs allument des cigares. Ils trouvent le temps long, ne participent pas à la discussion et leur présence autour de cette table incommode ceux qui ont l'habitude de ne remplir que leur partie du mandat sans chercher à connaître les rouages permettant aux différents maillons de la chaîne de jouer chacun leur rôle sans heurt.

Il n'y a pas de cendrier dans la salle de réunion, mais les hommes à chapeaux sont munis de boîtiers portatifs qu'on pourrait confondre avec des écrins à bijoux.

— En quoi consiste le plan C? ose un employé de la Ville qui commence à avoir hâte d'en finir.

Le contremaître se masse brièvement les tempes et parle en termes très concrets du chantier à organiser fin octobre, début novembre.

— On n'a plus le temps de niaiser avec les cow-boys et leurs picouilles. Il faut les disperser.

Le plan C, quoique drastique, a le mérite d'être infaillible. On en est arrivés là.

Dans le garage à calèches désert et bien éclairé, un cheval seul, blanc, au bout d'une chaîne, se demande un peu ce qu'il fait là. Il règne un silence humide, une sorte de tranquillité louche, avec, en fond sonore à la radio, une vieille chanson de Woody Guthrie.

Billy profite de cette journée pluvieuse pour faire le ménage dans le bureau de Paul, le libérer de toutes ses paperasses, faire de la place, jeter ce qui traîne, surtout les lettres commençant par : « Objet : Rachat de permis — procédures ». À ce qu'il sache, son patron n'a jamais eu le projet de vendre ses calèches, malgré les pressions maintes fois réitérées d'un petit groupe de promoteurs et d'employés de la Ville. Sur le bureau, Billy trouve le dépliant d'un encan de chevaux au Vermont prévu en septembre, signe non seulement que Paul n'avait aucune intention de ralentir ses opérations et de se départir de ses buggys, mais qu'il projetait même d'acquérir de nouvelles bêtes...

John avertit Billy de leur présence, et pendant qu'il prépare son équipement, Marie enfile, dans le hangar aux harnais, une robe jaune pâle dont l'ourlet traîne dans la poussière transformée en boue. Au mur, quelqu'un a suspendu un miroir déformant, craquelé au centre et couvert d'une laque de suif collant. Elle en profite pour se maquiller.

John explique à Marie ce qu'il a en tête pour la photo, rien d'affecté, rien qui soit « éloigné de toi, c'est un portrait, ne pose pas trop ». Après lui avoir fait la courte échelle, sa main glisse de la hanche jusqu'à la cheville de Marie ; elle pointe le pied. Puis s'allonge sur le cheval, la tête appuyée sur l'immense croupe du percheron, et laisse tomber un bras en inclinant la tête vers l'objectif. John capte cette chorégraphie lente et langoureuse, jambe révélée dans sa longueur, paume délicate appuyée sur l'épaule massive, cheveux en bataille étalés sur les poils équins blancs, manche de la robe qui s'affaisse, donnant à voir une fine clavicule, la naissance d'un sein : tout se fait dans un silence chargé, que seuls le bruit de l'appareil, le souffle de l'animal et le murmure constant de la bruine meublent.

Lorsqu'elle rabat une jambe par-dessus l'encolure du percheron et se retrouve assise en amazone, les deux cuisses du même côté, John a l'intuition que quelque chose est sur le point de se révéler. Jusqu'ici, les visages des cochers et tous les autres portraits — celui de sa mère, celui du propriétaire d'une cantine de *fish and chips,* celui du gars qui hurlait « *Shoot the freak in the freakin' head* » à Coney Island

— ne lui ont jamais échappé ainsi ; cette fois, le visage se dérobe. Est-ce le maquillage qui durcit les traits de Marie ? Il veut saisir quelque chose d'elle, ne sait pas exactement quoi, mais elle ne le lui offre pas.

Puis il comprend que ce qu'il cherche, Marie l'a sans doute perdu en muant pour enfiler sa nouvelle peau de cochère. Cela le rend triste et songeur un moment. Il se sent responsable d'elle.

Entre deux poses, Marie rabat une mèche de cheveux derrière son oreille, un geste machinal qu'elle répète cinquante fois par jour. John l'a vu venir et a eu le temps de l'immortaliser. « Ça y est », déclare-t-il, même s'il s'attendait à plus.

Il dépose l'appareil et aide Marie à regagner le sol. Elle n'a jamais aimé monter à cru, mais savoure toujours cet instant où la chute des reins, cambrée, se moule au flanc convexe de l'animal dans la descente. John attrape Marie avant que son pied ne touche terre.

Ils demeurent ainsi un moment, sans rien faire ni rien dire, figés dans le contact exalté des corps immobiles : un cheval, une fille et un cocher.

Jusqu'à ce que John n'entende plus que la respiration de Marie, de plus en plus courte et oppressée, à mesure qu'il se rapproche d'elle. Marie renverse la tête — tout le haut de l'encolure — vers l'arrière, les pieds dans la boue et le dos appuyé contre le ventre tiède du cheval. Après avoir relevé le bas de sa robe pour enfin lui mettre la main au cul, le cow-boy se penche sur la Rose au cou cassé.

~

En retrait, la Mouche ne perd rien de toute la scène. Le *shylock* attend que John et Marie cessent leur va-et-vient pour ressortir de la diligence aux roues déviées qui leur sert de planque, à lui et aux deux voyous qui attendent son signal.

La dernière fois qu'il a épié une telle scène, c'est quand Gerry a accepté qu'une petite équipe de porno amateur tourne un film dans sa calèche. Le cocher l'avait invité à venir se rincer l'œil et la Mouche en avait eu pour son argent.

Cette fois, il est du mauvais côté ; de son poste d'observation, il n'aperçoit qu'un cheval blanc à six pattes.

Du côté opposé, réfugié dans l'entre-deux de Rambo avec fenêtre donnant sur le garage à calèches, Billy voit les jambes de Marie enroulées autour de la taille de John, ses chevilles fines, ses pieds couverts de boue. Et l'animal imperturbable qui leur sert d'appui.

Lorsque les cochers quittent enfin le garage à calèches après s'être ébroués, ils oublient Rambo au beau milieu de la place.

Immobile dans la lumière bistre, le cheval a pris l'apparence d'une statue de bronze.

Billy le ramène dans son entre-deux, distribue les galettes de foin et rentre se faire à manger.

La Mouche et ses comparses en profitent pour ouvrir la porte de la diligence et quitter leur repaire.

~

En entrant au Saloon, John et Marie remarquent tout de suite les deux billes de plomb introduites dans les orbites de Boy. Une seule personne peut se permettre ce genre d'initiative. Laura Despatie est de retour et son entrée en scène n'annonce rien de bon, songe John.

Tout en essuyant un verre, le barman hausse les épaules en signe d'impuissance. Il lance le torchon sur son épaule, rejoint les cochers devant le buste.

Boy a des airs de cheval-robot ; il paraît beaucoup moins miséricordieux qu'avant, jette sur la scène et ses acteurs un regard dur, impitoyable. Ces hommes en déroute, tombés en disgrâce, errant dans un monde à l'agonie devront désormais chercher ailleurs que dans ses yeux le pardon et la clémence.

Le roi est mort et enterré. Nul ne sait ce qu'il adviendra de son royaume rafistolé. Combien de temps encore avant que le château de tôle raboutée ne s'écroule sur leurs têtes ? Combien de nouveaux chevaux, combien de balles de mauvais foin entreposées dans les box humides, combien de chatons noyés dans le ruisseau, d'envols de pipistrelles, d'enveloppes glissées dans les bonnes poches, combien de junkies d'une nuit, d'hommes brisés et de cochers pendus, d'histoires de cul au goût de sel, de crucifix en haut des portes? Combien d'hommes en sursis réchappés? Combien de dernières chances? Et surtout, qui veillera sur les hommes de chevaux et leur cheptel quand même Boy a abdiqué?

Non loin de là, munis de torches, des barbares avancent vers le cœur de Griffintown en suivant la Mouche.

Dans l'écurie, les chevaux commencent à gratter le sol avec leurs mains.

DERNIER HENNISSEMENT
AVANT LA FUITE

Laura Despatie sait exactement où trouver celui qu'elle cherche à cette heure. Non loin des anciennes écuries de Leo Leonard, dans la cabine du stationnement glauque, là où personne ne va jamais garer sa voiture. Mais il n'y est pas pour le moment, alors elle s'est postée à l'arrière d'un grand conteneur et attend le retour de la Mouche.

Quelques mètres au-dessus de sa tête, un panneau vante le Projet Griffintown 2.0 : «Tranquillité, élégance, style de vie à deux pas du centre-ville. Ouverture du bureau des ventes en septembre.» Sur l'affiche, une brunette de trente ans rit à gorge déployée devant un plat de langoustes en compagnie d'un homme aux tempes grisonnantes, serein, auréolé de succès et qui semble à l'origine du mot d'esprit qui a fait s'esclaffer sa compagne. Un verre de rosé à la main, il sourit, pensant sans doute aux années heureuses, tranquilles, élégantes qui se profilent à l'horizon.

Le fantôme de Mignonne se sentirait à l'étroit dans ce Griffintown-là.

~

Vingt minutes plus tôt, à la tombée du jour, pendant qu'il faisait chauffer de la soupe sur le seul rond fonctionnel de la cuisinière, après le train et le départ de Marie et John, Billy a aperçu la Mère par la fenêtre, l'a reconnue à son béret vert et à sa démarche claudicante, même que sur le coup, ça lui a coupé le souffle. Alors il a entrepris de la suivre, de loin pour commencer. Laura Despatie louvoyait par les ruelles, marchait en pleine rue, entrait brièvement dans la lumière puis regagnait ses tranchées. Le manche de sa carabine dépassait de son parapluie fermé. Elle marmonnait pour elle-même et son environnement semblait la contrarier. Billy a entendu la Mère parler d'« honneur », d'« ingrat » et de « mouche à marde ». Elle en a contre quelqu'un qui n'a jamais appris à se mêler de ses affaires. Le palefrenier en a déduit qu'elle parlait du *shylock*.

Puis, elle s'est dirigée vers le stationnement abandonné, là où on a brûlé le camion de Paul Despatie. Et pendant que la Mère trouvait refuge derrière un grand conteneur, Billy s'est planqué dans la boîte du pick-up.

~

Après ce qui semble une éternité, la Mouche apparaît enfin dans le stationnement, escorté par les deux mêmes voyous. Le *shylock* leur remet quelque chose que seul Billy peut voir, des enveloppes brunes probablement remplies de liasses d'argent. Les trois bandits se saluent, la Mouche serre la main des deux hommes et ils s'en vont.

Le *shylock* réintègre ensuite sa cabine et passe un moment à compter quelque chose, la langue qui pend hors de sa bouche. La Mouche porte un imperméable beige, ses lunettes jaunes d'aviateur et sa casquette anglaise : reconnaissable entre mille, toujours aussi exaspérant aux yeux de Laura Despatie.

En voyant la Mère avancer vers lui, il se dit la même chose d'elle. Même démarche, même tête folle, même jupe noire droite et toujours cette éternelle carabine au flanc.

— Sors de là si t'es un homme, la Mouche.

Il glisse le revolver dans la poche intérieure de son imperméable et s'exécute.

— Il y en a un de nous deux qui est de trop ici, annonce la Mère en chargeant son arme.

Le prétendant

La Mouche n'avait pas toujours été un homme vil, sans honneur ni parole, qu'on pouvait acheter pour pas cher en échange d'un certain type de commissions. La légende voulait qu'à une époque révolue de l'histoire de Griffintown, il ait prétendu au trône et envisagé d'occuper le territoire.

Mais la Mère, très active, avait su étendre son empire plus rapidement que lui, nouer des liens discrets et profitables avec les hommes à chapeaux noirs, et ce, au bon moment et de la bonne manière. Plusieurs, comme la Mouche, avaient cru et espéré qu'elle ferait de l'air après la mort de son mari. Mais c'est le contraire qui se produisit ; elle devint intouchable, de plus en plus terrifiante, plus grande que nature. À partir de ce moment, Laura Despatie accéda au rang de légende. On l'affubla d'un surnom, la Mère, avec un M majuscule. À l'époque, la Mouche avait manifesté beaucoup d'intérêt pour le business de la calèche — d'où son nom, une raillerie de la Mère. Mais celle-ci n'avait jamais voulu le laisser monter dans la hiérarchie, car elle l'avait déjà vu battre un cheval. Les cochers pouvaient se taper dessus entre eux tant qu'ils le voulaient, mais on laissait les bêtes tranquilles. Laura Despatie avait confié la gestion de l'écurie et du

Saloon à Paul et à Dan, respectivement ses fils et neveu, décision que la Mouche n'avait pas comprise alors qu'il était là, lui, n'attendant que cela. Il ne lui pardonnerait jamais ce revers et sauterait sur toutes les occasions de la faire enrager.

L'histoire de la Mouche était une ruée vers l'or qui n'avait jamais abouti.

Puisqu'il faut bien vivre, il s'était fait *shylock*, honorant doublement son nom. Dans la poche intérieure de son imperméable, il conservait en tout temps un revolver A. J. Aubrey de calibre .38 hérité de son père marchand d'armes. La Mère et la Mouche étaient nés du même père, mais pas de la même mère. Fruit des amours illégitimes du paternel, la Mouche était l'enfant d'une pute de l'est de la ville. Il avait appris l'identité de son père le jour où celui-ci avait débarqué pour lui offrir un revolver bleu nickel avant de disparaître de sa vie pour de bon. La Mère n'avait jamais voulu croire que cette crapule était son frère, et pour ça aussi, la Mouche lui réservait un chien de sa chienne, voire toute une portée.

Ces dernières années, le *shylock* s'était mis à «faire des jobs» de plus en plus souvent au nom des hommes à chapeaux noirs, sans que cela ne l'empêche de dormir. De là naquit une certaine confusion, car la mafia, tout en protégeant le Saloon, s'appliquait à faire tomber l'écurie.

Lorsqu'était venu le moment de faire rouler la tête de Griffintown, la Mouche s'était fait un plaisir de collaborer. Il avait signé le meurtre : deux balles au cœur. Et s'était demandé si la seule personne en mesure de reconnaître sa griffe respirait encore l'air poudré d'or du Far Ouest. La réponse à sa question venait vers lui en soufflant bruyamment, carabine à la main.

De plus en plus ventru, l'enchevêtrement de brindilles et de plumes collées de suif virevolte vers eux comme un fantôme qui culbute, léger, friable, facile à faire flamber.

La Mère et la Mouche attendent que la couronne de feuillage soit hors de leur vue avant de s'envisager.

Laura Despatie crache sur l'asphalte, fait un pas vers la Mouche et plante son regard dans le sien.

— Fallait pas t'en prendre à mon fils, tonne la Mère en pointant sur lui sa carabine.

— Ton règne est fini de toute façon, la Mère, réplique-t-il avant d'enfouir la main dans la poche de son imperméable.

Pendant un moment, le *shylock* se demande d'où provient le bruit de tambour assourdissant qu'il entend.

Lorsqu'il réalise qu'il s'agit de son cœur de mouche, sec et palpitant, il est trop tard. Le coup part avant même que la Mouche ait le temps de viser la Mère.

Après l'avoir regardé tomber, la Mère, satisfaite, souffle sur l'embout de son arme. Laura Despatie vient d'honorer la mémoire de son fils. Sur l'asphalte, son ombre a pris des proportions démesurées.

De sa planque, Billy voit le sang se répandre en traçant un cœur sur l'imperméable du *shylock*.

Une balle a suffi.

La croix du mont Royal brille au loin, éternelle, mais ce n'est pas pour le salut des âmes.

~

Après avoir subtilisé l'arme de la Mouche, la Mère quitte la scène en boitillant avec la satisfaction du travail accompli, ignorant que c'est là, dans ce stationnement inhospitalier, que son fils a fini ses jours lui aussi, à genoux, face au *shylock*, les mains derrière la tête.

Son corps lourd, traîné de peine et de misère par la Mouche jusqu'à la cabine, puis par deux truands dans une voiture blindée, jeté dans le canal, emporté par le courant jusqu'au ruisseau, repéré par Grande Folle, plié et déposé dans le congélateur par un palefrenier qui ne savait pas ce qu'il faisait jusqu'à ce qu'il décide de l'exposer au grand jour pour alerter la Mère avant de le retourner dans le secret de la terre.

Laura Despatie n'a jamais attendu après qui que ce soit pour se faire justice, elle aimerait que cela suffise à rétablir l'équilibre dans Griffintown, mais elle en doute. Au moins, l'honneur de son fils est vengé. Elle se sent tout à coup très lasse.

L'embout métallique de sa vieille carabine fume encore lorsque Billy surgit comme une ombre dans la nuit, ses bottes de cow-boy sous le bras afin de ne pas faire de bruit.

En repassant devant les anciennes écuries de Leo Leonard, il s'arrête un moment. Puis il retire ses chaussettes, pose le pied sur les pierres humides bien visibles sous l'asphalte usé. Des pierres qui ont fait le voyage jusqu'à Griffintown dans les navires de marchands français venus quérir des fourrures et qui voulaient éviter de naviguer allèges sur une mer incertaine. Autrefois, un tramway passait par ici.

Au loin, un hennissement s'élève dans la fraîcheur du soir. Puis un second.

Il semble à Billy que des chevaux le réclament.

~

Une curieuse odeur de poêle à bois déréglé ou de gâteau de terre brûlée flotte dans l'air.

Plus Billy s'approche du cœur de Griffintown, plus les émanations le prennent à la gorge et emplissent sa bouche d'un goût plâtreux. Soudain, un vrombissement sourd se fait entendre, semblable au bruit d'un vieil arbre qui tombe. D'autres hennissements retentissent. À l'intersection des rues Ottawa et William, un mauvais pressentiment le gagne. Il se met à courir vers l'écurie en se protégeant le visage de sa manche.

Il croit d'abord que le feu a pris dans le box à foin. Quelqu'un — qui ? — a dû y lancer son mégot par mégarde, il a toujours craint et su qu'une telle chose arriverait. En s'approchant du garage à calèches, Billy constate l'étendue du brasier.

Le feu dévore la coquette calèche sculptée, comme si quelqu'un avait allumé un foyer à l'intérieur. Non loin de là, le long des murets, des flammèches mauves lèchent la tôle en la noircissant, menacent de la liquéfier, d'en extraire un sirop toxique. Les poutres qui soutiennent la toiture du garage ont de toute évidence été aspergées d'huile, elles finiront par céder sous la combustion. D'arrogantes flammes ambrées mordent le vieux bois sur toute sa hauteur.

Cherchant son souffle, Billy quitte le garage à calèches et se dirige vers le bureau.

Un second foyer fait rage dans la poubelle où il a jeté les lettres de Paul Despatie, ignorant que tout ce papier servirait à alimenter un brasier.

Par la fenêtre sale de la cuisine, à travers la crasse diaphane qui tient lieu de rideau, Billy comprend que l'incendie va gagner tous les pavillons du château de tôle.

En proie à la panique, il attrape le combiné du téléphone mural près de l'entrée, compose le numéro du Saloon, et se met à hurler.

Dans leurs entre-deux, les chevaux piaffent et donnent des coups de sabot sur les poutres qui délimitent leur espace, du vieux bois sec qui flambera comme une allumette. Billy détache les chaînes qui les gardent captifs, ouvre toute grande la porte de l'ancien box de Champion où Maggie a pris place. Il la saisit par le licou, veut la faire sortir de là, tire de toutes ses forces sur sa belle tête.

Un cheval noir passe devant le box, affolé, du feu dans la crinière, les pattes d'en avant très écartées. Malgré la fumée, le palefrenier reconnaît Pearl à sa cuisse ronde aux reflets cuivrés.

Il entend un crépitement à l'autre bout de l'écurie, un hennissement grave et réitéré, Poney, puis des voix d'hommes, celles de John, de Joe et d'Alice. Du renfort.

Les cochers arrivent juste à temps pour voir Pearl se laisser glisser dans le ruisseau en pliant les genoux. La terre moite se délite sous ses sabots et elle avance dans l'eau. Ils voient aussi la Charogne de Lloyd se cabrer dans la lumière rougeoyante puis entrer en collision avec une brouette. Et c'est à ce moment que le courant s'interrompt condamnant chevaux et cochers à vaciller dans la noirceur et dans les flammes comme les morts-vivants qu'ils sont devenus.

Aux flammes, Pearl a préféré les eaux incertaines. S'éloigner du feu, abandonner ces hommes-là, peu importe le chemin, les quitter, cela semble la seule issue possible. Elle tourne sa tête noire, imposante, une dernière fois vers les cochers, les considère un moment puis disparaît.

~

Marie court dans tous les sens en cherchant les chevaux dans la fumée. Une voix masculine, celle d'Alice, lui ordonne de cesser ce manège et de dégager. Mais elle entend Billy crier à sa jument de sortir du box en la traitant de tête de mule, de pouliche folle, de viande à boucherie et de tous les noms qui lui passent par la tête. Marie veut l'aider, même si des flammèches lèchent ses chevilles, brûlent les dentelles au bas de sa robe. Même si une seconde voix, John, l'appelle en toussant, un linge sur la bouche, lui intime aussi de ressortir de là au plus vite.

Sauver un cheval : il semble à Marie que toute sa vie a tendu vers cet accomplissement.

— La plupart des chevaux ont déjà quitté l'écurie ! hurle John lorsqu'il comprend ses intentions.

Près d'elle, Billy tire de toutes ses forces sur le licou de sa jument. Marie l'entend gémir et forcer, et gémir et sacrer, puis supplier. Rien à faire, Maggie, stoïque, a les sabots cloués au sol. Des racines invisibles ont poussé sous la fourchette de ses pieds, dans l'ongle, à travers le métal des fers chauffés. Elle restera là, obstinée.

Les bras tendus devant elle, Marie cherche le palefrenier, sa jument, son chemin. Croyant avoir enfin trouvé le box, elle s'écroule dans la douche des chevaux comme ces noyés qui s'imaginent remonter à la surface alors qu'ils s'abîment vers les profondeurs, engourdis et illusionnés. Un cheval passe près d'elle en l'évitant, mais là où elle est, elle ne discerne plus qu'un écran pourpre et emboucané.

Dehors, on voit des animaux indisciplinés trottiner dans la rue Ottawa, d'autres rue William, et d'autres encore fuir par la piste cyclable en fouettant l'air de leur queue, ou galoper dans un champ qui fera place à un chantier de construction. Des cailloux gris se logent sous leurs sabots.

Il y a toujours, lors d'un incendie, un certain nombre de chevaux qui refusent de quitter l'écurie ou qui la regagnent après qu'on les ait libérés des flammes. Tous les hommes de chevaux savent ça, le sentent d'emblée et l'ont toujours su, au creux de leur estomac. Ce n'est pas une légende ni une exagération, c'est la vérité, pour une fois. Une vérité qui blesse l'aine et fouette le flanc jusqu'au muscle.

Billy s'effondre sur le sol dans la paille souillée ; il mourra par le feu, sous les sabots de ce cheval qu'il a tant aimé sentir se mouvoir sous lui. La jument se laissera choir sur le palefrenier. Leurs chairs se consumeront dans une même flamme courroucée.

Le garage à calèches tiendra peut-être le coup, mais l'écurie est dans un tel état de délabrement qu'il vaut mieux attendre l'arrivée des pompiers avant de s'aventurer à l'intérieur. Marie s'est évanouie dans la douche des chevaux. Une poutre s'affaisse sur la cochère, la frappe violemment dans le dos. Une deuxième écrase sa nuque. Les planches du toit ont commencé à céder là où la tôle, brûlante, rougie, semblable à de la lave, ne suffit plus à les maintenir en place.

John repère un morceau de coton jaune, la robe de Marie, puis une jambe, et l'autre. Les longs doigts d'une gisante immobiles dans les braises. Il a placé trop d'espoir en elle pour l'oublier dans les flammes. Elle renaîtra de ses cendres. Il soufflera sur son corps jusqu'à ce que la vie revienne.

Joe et Alice voient un homme en feu sortir de l'écurie en portant dans ses bras une fille dont les cheveux brûlent encore : la Rose au cou cassé.

Des pompiers commencent à s'activer autour de l'écurie. Rue Richmond, une voiture de police est entrée en collision avec un cheval. Une ambulance arrive sur les lieux, ainsi qu'une petite équipe vétérinaire.

On dépose une couverture ignifuge sur les épaules de John, on fait pénétrer de force de l'oxygène dans ses poumons, et les ambulanciers enveloppent ses jambes, ses bras, son torse et sa tête dans des rouleaux de gaze stérilisée. Autour de lui dans l'ambulance, il y a des pommades, des fioles, des cris, des voix dans des walkies-talkies et, là-haut, le bourdonnement d'un hélicoptère. John entend le bruit mat et crépitant de planches et de poutres qui cèdent. La sirène d'une ambulance qui file à toute vitesse en direction de l'Hôpital des Sœurs Grises avec Marie à bord.

On ne voit plus les chevaux, mais on les entend trottiner, affolés, dans tous les sens. Passé les limites de Griffintown, sans mors, sans maître et sans œillères, ils ne savent quoi faire de cet affranchissement.

Réunis aux confins du territoire en cheptel, tête à queue, les dents de l'un appuyées sur le garrot d'un autre, jouant du sabot et donnant du jarret pour trouver un peu plus d'espace, puis cherchant à nouveau la chaleur de leurs semblables, les plus calmes d'entre eux allongent l'encolure pour brouter.

~

L'écurie s'effondre à l'aube.

Le cœur de Griffintown s'éteint avec Billy, Poney et Maggie à l'intérieur.

Sur les braises ardentes fument les squelettes de calèches, tiges de métal rougi, fers et attelles, ganses de brides, une paire d'étriers et quelques couteaux de chaleur, dispersés dans les bûches noires. L'odeur persistante des élastiques à pneus brûlés s'est répandue. Le chat à trois pattes se faufile entre les fumerolles en miaulant.

À genoux en plein milieu de la rue, une femme à barbe pleure comme devant le cercueil de son père. Grande Folle, sa toque à plumes déposée à côté d'elle, ses cheveux retenus sous un filet et tout le contenu de sa sacoche renversé sur l'asphalte : des pilules, de la poudre, du fard à joues, un assortiment de faux ongles, des jarretelles, un caillou de crack. Des larmes roulent sur sa peau maquillée.

En quittant le Far Ouest, elle croise un cheval, un palomino doré aux naseaux roses, blessé au poitrail, et qui vient au petit trot comme si de rien n'était, un animal si beau, si éclatant, une vision d'une telle splendeur que ça lui fait mal jusque dans les testicules.

Grande Folle se jure de ne plus jamais remettre les pieds à Griffintown.

La Rose au cou cassé

On raconterait qu'elle avait voulu entrer à Griffintown comme on désire coucher avec quelqu'un : pour obéir à une pulsion. Mais les pieds-tendres n'étaient jamais les bienvenus sur ce territoire.

Au début, elle trouvait vilains les traits des chevaux de labour : pur snobisme d'ex-cavalière. Elle n'aimait pas plus la culture western, ni les chevaux de cow-boys, les quarter horses et les mustangs, toujours du même alezan avec un trait blanc le long du chanfrein, le dos droit comme une cravache, et pas très hauts avec ça, de tempérament flegmatique et prévisible, cherchant sans cesse à ralentir l'allure, alors qu'elle adorait les thoroughbreds hauts de dix-huit mains, ceux qui vous jettent par terre et qu'il faut apprendre à dominer. Elle montait comme une despote, toujours chaussée d'éperons, disait adorer les chevaux mais les maintenait dans un état survolté, entre affolement et exaltation. Ils avaient intérêt à obéir, c'était comme ça qu'elle les menait, et certains s'accordaient parfaitement à son tempérament. Mais ce n'était pas ça, aimer les chevaux. Auprès des percherons et des belges, elle baissa la garde. Elle n'avait jamais éprouvé autant d'empathie envers les animaux qu'au contact des chevaux de calèche. Leurs épaules et cet avant-train surdéveloppé commandaient le respect.

Marie avait voulu sauver un cheval, quitte à périr avec lui.

Et puis elle s'était brisé le cou, comme s'il s'était agi d'une vulgaire tige de fleur, crac. Marie avait sombré dans un coma profond, sans rêves d'animaux dépendant d'elle pour leur survie. Sans cauchemars d'une tête de cheval hissée au bout d'une chaîne au-dessus d'un puits. Sans la voix de John, comme un phare dans la noirceur, pour indiquer les pièges et montrer les repères. Perdue seule dans cette nuit sans étoiles, Marie s'abîma loin, très loin, comme on descend dans un tombeau.

Trois semaines plus tard, lorsqu'elle ressortit de ce long songe creux, elle sentit, dès l'éveil, dans toutes ses fibres, qu'elle ne serait plus en mesure de monter sur le dos d'un cheval. À présent, le mouvement passait par ses lèvres et sur ses cils comme un frémissement.

Marie balaya des yeux la chambre, à la recherche de sa robe jaune. Elle ne vit qu'un bouquet de roses fanées, et sa mère agenouillée près d'elle.

Les flammes ont en partie défiguré John. Brûlé au premier degré partout sur le dos, grièvement sur les mains, sur le plat de la cuisse et au visage, le cocher attend. Un signal ou un cri, la voix de Marie. Souvent, la nuit, il rêve qu'il est en feu, à nouveau immolé, et s'éveille en hurlant.

Les flammes ont tanné son visage et sa chair comme une peau de bison dégraissée au grand soleil de juillet. Sous un chapeau de cow-boy, il se cache à demi. Comme il manque un talon à ses bottes, il porte des espadrilles en attendant, et s'appuie sur une canne. Il a l'air d'un petit vieux et déteste cela. Ce n'est pas ainsi qu'il avait imaginé sa dernière saison de calèche. L'amour et la mort ne faisaient pas partie du plan lorsqu'il avait pris la décision de revenir à Griffintown pour se refaire. Il s'assomme au bourbon en espérant un signal.

Devant sa fenêtre, les feuilles d'un chêne sont passées, en peu de temps, d'un bel ocre luminescent à la couleur du sucre brûlé. Puis elles se sont mises à tomber. Il voit l'automne, dans la brume, naître à son regard.

John ne cherchera jamais à savoir ce qui est arrivé aux chevaux, surtout pas au haflinger, que les flammes ont dû épouvanter encore plus que le véhicule amphibie dans la zone touristique. John les imagine lâchés au galop, courant vers la ligne d'horizon au lever du jour, affichant un superbe port de tête et beaucoup d'allant. Bien qu'il n'ait jamais été aussi attaché à eux que Marie, leur noblesse et cette fureur qui les animait pouvaient l'émouvoir les lendemains de cuite ou quand il était fatigué. Il se bouche les oreilles lorsqu'il les entend hennir d'effroi dans ses souvenirs, ne veut surtout pas se rappeler l'écho de leur galop désordonné lors de la fuite. L'écurie s'est effondrée, les cochers semblent s'être dispersés, les plaies mettent du temps à cicatriser, et son visage douloureux suinte une petite eau purulente. On en est là.

Jaunes, plaquées d'or, d'ambre ou de mica, les feuilles du chêne se déclinent dans toute la palette du brasier qu'il a bravé pour secourir la Rose au cou cassé. Il se souvient en grimaçant des flammèches bleues dans lesquelles il a marché, traîtresses, coupantes comme des lames, bien pires que les orangées qui ont léché ses cuisses, embrasé ses vêtements et cuit la peau de son dos. Dans l'incendie, il a perdu son appareil-photo ; il ne verra jamais les clichés de Marie pris ce même jour. Il vaut mieux arrêter de penser à ça, se concentrer sur les feuilles, dans l'arbre, qui se détachent doucement, une à une. Attendre un signal. Avaler une once de bourbon. Attendre l'infirmière. Et dans les meilleurs jours, remplacer l'attente par l'espoir.

~

Plus un seul cocher n'a remis les pieds au Saloon après l'incendie. En entrant dans la taverne, Dan constate que Laura Despatie est passée, qu'elle a mangé un œuf dans le vinaigre et encore laissé traîner le bocal. Comme la dernière fois, elle est allée jouer dans les orbites de Boy, ce qu'il n'apprécie pas davantage. Boy n'affiche plus ce regard plombé des jours d'apocalypse. Désormais, il n'y a que deux trous, rien d'autre. Que du noir à la place des yeux. Et c'est pire encore, car Boy a perdu toute sa dignité d'antan, n'est plus qu'une désolante armature piquée de poils sans lustre.

On va devoir le décrocher de là et suspendre autre chose au mur, une horloge lumineuse par exemple, ou peut-être un nouveau téléviseur à écran plasma. Au pire, une classique tête de chevreuil.

En plus de ne pas se ramasser, la Mère a oublié d'éteindre la lumière avant de quitter le Saloon. «Je te gage qu'elle a même pas barré la porte», marmonne Dan pour lui-même.

Dans le bureau, la même lumière engluée. Dan ne va presque jamais dans cette pièce, il fait ses comptes assis au bar, après la fermeture.

Et c'est alors qu'il la voit: assise à son bureau, le corps en torsion violente vers la droite, un trou de balle à la tempe gauche. Du sang partout, au mur, sur elle, sur le plancher de bois près de la corbeille où elle crachait ses chiques de tabac et ratait sa cible quatre fois sur cinq.

Devant elle, Dan remarque le vieux revolver à barillet de la Mouche, les deux balles retirées des orbites du cheval fondateur, et ce mot: «J'ai pas envie de connaître la suite. Adieu, mon petit. Cherche-moi pas au paradis. Tante Laura».

Dans la mort qu'elle s'est donnée, la Mère a perdu son béret, mais sa perruque est restée bien accrochée.

~

C'est attelée à un fauteuil roulant poussé par sa mère que Marie revient vers John.

Il lui révèle l'étendue de ses brûlures, lésions mineures, et les escarres. Casse sa canne en deux et demande à Marie si elle sait où trouver un cordonnier capable de recoller le talon de sa botte. Elle répond qu'elle connaît un baume miracle pour estomper ses cicatrices une fois les plaies guéries.

Il l'a vue maintes et maintes fois se pencher vers les paturons des chevaux, enduire d'une pommade brune tous leurs petits bobos et leurs moindres écorchures.

— Maintenant, ta peau est comme du cuir, John.

John fronce les sourcils ; Marie a le projet de le soigner avec des onguents vétérinaires.

— On parlera des chevaux une autre fois, O.K. ?

— Oui. J'ai quelque chose de grandiose à te montrer.

Du menton, elle lui fait signe de regarder en direction de sa main droite. Les extrémités de deux doigts — l'index et le majeur — se soulèvent un bref instant.

— T'as vu? Ça bouge dans ce coin-là.

Elle semble à la fois fière et exténuée.

Un beau jour, dans les mains de Marie, appuyées contre sa paume, une paire de rênes se tendront à nouveau. C'est écrit dans le ciel, semé dans la terre, inscrit dans les folioles des fleurs de trèfle, dans l'ADN du chat à trois pattes, dans les nervures du chiendent qui pousse partout à Griffintown.

La croix du mont Royal a son utilité quand vient le temps de formuler une prière. On peut poser les yeux dessus et murmurer tout bas : «Faites que cette fille remonte à cheval.»

John souhaite très fort que l'électricité revienne aussi dans le ventre de Marie, dans son sexe, entre ses hanches et jusqu'à l'extrémité de ses sabots.

LE CHŒUR DE LA RÉDEMPTION

En regagnant le Far Ouest, Léopold se rend compte que les chevaux ne lui manquent pas. Une odeur de charbon humide et de tôle refroidie flotte sur Griffintown et gêne sa respiration. Il remonte son foulard.

Le quartier a des airs de ville fantôme en novembre. En franchissant la frontière, il s'attendait à se buter à ce silence, à cette architecture défiante. Il a perdu beaucoup de poids au cours des derniers mois. Lorsqu'il aperçoit sa silhouette dans la fenêtre d'un entrepôt, il s'efforce de redresser l'échine. Malgré sa maladie, il se sent droit et digne à l'intérieur.

Léopold a récemment participé à une manifestation des orphelins de Duplessis devant la basilique Notre-Dame. Sa voix s'est unie à celles d'une centaine d'hommes brisés en une parole plurielle et entendue, qui porte loin. On l'opérera au cours des prochaines semaines ; Roberta a promis d'être à ses côtés. Il n'est plus seul désormais.

Il veut saluer les cochers avant que l'hiver reprenne ses droits sur le territoire et que la nuit s'ensuive, annoncer au palefrenier qu'il a fini d'errer, de dormir dans un box et de se faire appeler le Rôdeur. Il n'est plus ce bâtard vagabond aux dents plaquées d'or. Il se prénomme Léopold : orphelin avec une carte d'assurance maladie, une identité sociale. Il ne reviendra pas à Griffintown au printemps.

Rue Richmond, alors qu'il arrive à l'angle de Basin, Léopold entend au loin l'écho d'une voix d'homme qui le met en garde, l'invite à tourner les talons et à quitter les lieux. Mais Léopold n'en fait rien. Il croit avoir reconnu Billy.

La Conquête de l'Ouest a finalement entraîné la dissolution de la petite société cochère. Ceux de la ville ont orchestré la fuite tapageuse des derniers chevaux lourds et chassé les cochers une bonne fois pour toutes. Les cow-boys à la tête brûlée, les hors-la-loi fumeurs de crack et leur cortège de calèches grinçantes ont capitulé. Ceux de la ville ont gagné, et ce, sans trop se salir les mains.

Ils ont vite remplacé les pancartes « Attention, calèches. Ralentissez ! » par des panneaux sur lesquels on peut lire : « Bientôt : complexe immobilier haut de gamme. Début des travaux dès l'automne. Merci aux premiers acheteurs. » Ensuite, ils ont entrepris d'étouffer le miasme en commençant par régler le cas du ruisseau. « C'est sans doute ce genre d'eau-là qu'on boit en enfer », se sont-ils dit en pompant tout le liquide. Dans le lit asséché, Ceux de la ville ont trouvé une fourche rouillée, un vieux téléviseur, une machine à écrire, des tessons et autres éclats de porcelaine, une roue de calèche, un soulier de femme, plusieurs bouteilles de spiritueux, un crucifix, des fers, des coquilles d'escargots vides, des cannettes de boissons gazeuses, des seringues, des préservatifs et, à peine reconnaissable, l'uniforme de fantassin de Celui qui avait croisé un Windigo. Ainsi dégorgé, le ruisseau a aussi restitué le squelette d'un cheval avec, enroulées autour de ses côtes, des centaines de petites couleuvres brunes.

À mesure que l'ancien commissionnaire avance dans ce paysage de ruines et de désolation, il entend s'élever une complainte. Dans les vestiges des calèches, des fantômes de chevaux trébuchent puis se détellent, passent au trot de parade dans la caillasse et les éboulis, se roulent dans l'herbe tachée de houille, mêlent leur haleine spectrale à la rumeur du quartier. Le chant rythmé par le marteau d'un forgeron s'élève en tourbillonnant dans l'air carbonisé. C'est un requiem à l'envers. Les morts qui chantent pour les vivants, menés par la voix cuivrée de Billy, celui qui a intimé à Léopold l'ordre de quitter les lieux.

On chante l'humanité à la fois fragile et puissante qui a régné à Griffintown. Mais où iront les spectres après cette fin du monde?

Là où jadis on rangeait le carrosse de Cendrillon destiné aux mariages, Ceux de la ville ont élevé une grue indécente. Dans le garage à calèches, assis sur un monticule de briques rouges grossièrement recouvertes d'une bâche, Ray le pendu chante lui aussi, siffle par moments, en regardant Mignonne s'ébrouer dans la terre incendiée.

Léopold sort son harmonica de sa poche pour jouer avec les siens les dernières mesures d'une mélodie disloquée, celle du cabaret de la dernière chance, qu'il connaît déjà par cœur.

Il s'interrompt et songe : « Je ne veux pas me réincarner en cheval. »

DÉJÀ PARUS CHEZ ALTO

Nicolas DICKNER
Nikolski

Clint HUTZULAK
Point mort

Tom GILLING
Miles et Isabel ou
La belle envolée

Serge LAMOTHE
Le Procès de Kafka et
Le Prince de Miguasha
(théâtre)

Thomas WHARTON
Un jardin de papier

Patrick BRISEBOIS
Catéchèse

Paul QUARRINGTON
L'œil de Claire

Alexandre BOURBAKI
Traité de balistique

Sophie BEAUCHEMIN
Une basse noblesse

Serge LAMOTHE
Tarquimpol

C S RICHARDSON
La fin de l'alphabet

Christine EDDIE
Les carnets de Douglas

Rawi HAGE
Parfum de poussière

Sébastien CHABOT
Le chant des mouches

Marina LEWYCKA
Une brève histoire du tracteur
en Ukraine

Thomas WHARTON
Logogryphe

Howard MCCORD
L'homme qui marchait sur la Lune

Dominique FORTIER
Du bon usage des étoiles

Alissa YORK
Effigie

Max FÉRANDON
Monsieur Ho

Alexandre BOURBAKI
Grande plaine IV

Lori LANSENS
Les Filles

Nicolas DICKNER
Tarmac

Toni JORDAN
Addition

Rawi HAGE
Le cafard

Martine DESJARDINS
Maleficium

CODA

Nicolas DICKNER
Nikolski

Thomas WHARTON
Un jardin de papier

Christine EDDIE
Les carnets de Douglas

Rawi HAGE
Parfum de poussière

Dominique FORTIER
Du bon usage des étoiles

C S RICHARDSON
La fin de l'alphabet

Lori LANSENS
Les Filles

Nicolas DICKNER
Tarmac

Martine DESJARDINS
Maleficium

Christine EDDIE
Parapluies

Lori LANSENS
Un si joli visage

Dominique FORTIER
Les larmes de saint Laurent

Margaret LAURENCE
Le cycle de Manawaka

L'ange de pierre
Une divine plaisanterie
Ta maison est en feu
Un oiseau dans la maison
Les Devins

Composition : Isabelle Tousignant
Révision : Constance Havard
Conception graphique : Antoine Tanguay et Hugues Skene (KX3 Communication)

Éditions Alto
280, rue Saint-Joseph Est, bureau 1
Québec (Québec) G1K 3A9
www.editionsalto.com

ACHEVÉ D'IMPRIMER
CHEZ TC TRANSCONTINENTAL
LOUISEVILLE (QUÉBEC)
EN AVRIL 2012
POUR LE COMPTE DES ÉDITIONS ALTO

GARANT DES FORÊTS
INTACTES

L'impression de *Griffintown* sur papier Rolland Enviro100 Édition
plutôt que sur du papier vierge a permis de sauver l'équivalent de 18 arbres,
64 670 litres d'eau et d'empêcher le rejet de 980 kilos de déchets solides
et de 2 546 kilos d'émissions atmosphériques.

EcoLogo

100 %

BIO GAZ
ÉNERGIE

Dépôt légal, 1er trimestre 2012
Bibliothèque et Archives nationales du Québec